老 生 常 谈 集

潘家铮 著

黄河水利出版社

图书在版编目(CIP)数据

老生常谈集/潘家铮著 .—郑州:黄河水利出版社,2005.7
(2005.12 重印)
ISBN 7-80621-919-6

Ⅰ.老…　Ⅱ.潘…　Ⅲ.①水利工程-文集②水力发电
工程-文集　Ⅳ.TV-53

中国版本图书馆 CIP 数据核字(2005)第 048430 号

出 版 社:黄河水利出版社
　　　　地址:河南省郑州市金水路 11 号　　邮政编码:450003
发行单位:黄河水利出版社
　　　　发行部电话:0371-66026940　　传真:0371-66022620
　　　　E-mail:yrcp@public.zz.ha.cn
承印单位:黄河水利委员会印刷厂
开本:850 mm×1 168 mm　　1/32
印张:6.875
字数:160 千字　　　　　　　　　印数:2 001—10 000
版次:2005 年 7 月第 1 版　　　　印次:2005 年 12 月第 2 次印刷

书号:ISBN 7-80621-919-6/TV·403　　定价:15.00 元

我尊敬的学长——潘家铮院士寄给我他近年来陆续写成并发表的二十余篇短文，拜读之余，教益良多。

  潘家铮院士 1950 年毕业于浙江大学土木工程系，从事水利水电工程技术逾半个世纪。他始终秉承"求是"学风，弘扬创新精神，在我国大坝、水库、电站设计、建设中开拓创新，创造了非凡的业绩，为我国水利水电工程建设做出了杰出的贡献，是我国著名并具国际影响的工程技术专家。他于 1980 年当选为中国科学院院士，1994 年被遴选为中国工程院首批院士并出任中国工程院副院长。目前，他仍担任着国家电网公司高级顾问、中国大坝委员会名誉主席、中国长江三峡工程开发总公司技术委员会主任和清华大学教授等职。

  近年来，由于年龄原因，他虽然离开了第一线工程技术领导岗位，但仍关注着我国的能源、水利、水电建设，关心着三峡工程的建设进程、工程质量和生态环境影响，关心着国家重大工程项目的民主科学决策，关心着学术界、工程技术界的学风和道德，关心着反对伪科学的斗争和中青年科学、技术与工程人才的培养和成长……他撰写的立论科学、思维缜密、文风朴实的文章经常见诸报端和杂志，充分展示了一位老知识分子的爱国情怀、真知灼见和为国为民的高度社会责任感。黄河水利出版社选编出版《老生常谈集》以飨读者，值得庆贺。有感，是为序。

路甬祥

2005 年 3 月 17 日

新世纪　新水利

　　进入 21 世纪已经 4 年了。当前科学技术正在以幂指数增长的速度在发展，尤其是信息、宇航、生命科学等领域的变化日新月异。作为有几千年历史的水利学科又怎么样呢？

　　"与时俱进"是一条真理。宇宙间的一切事物是不会也不可能静止的，而是永远处在运动、变化和发展之中。静止就意味着死亡或消灭，水利学科也不例外。只是它的变化比较隐蔽和缓慢。水利部门和水利工作者如不能理解这一点，就有被时代淘汰的可能。下文主要谈谈自己对这个问题的初步认识。

一、水利的新定义

　　"水利"这个名词据查在 2 100 年前就出现了，这个名词似乎又是中国首创并独有的，至少在英文中找不到相对应的词。到底"水利"的含义是什么？1992 年出版的《大百科全书·水利卷》中关于水利这个总条目是这么说的：

　　水利一词可以概括为：人类社会为了生存和发展的需要，采取各种措施，对自然界的水和水域进行控制和调配，以防治水旱

　　注：本文为作者在清华大学(2004 年 10 月 31 日)和上海勘测设计研究院(2004 年 11 月 5 日)所做演讲的演讲稿。

1

灾害，开发利用和保护水资源。研究这类活动及其对象的技术理论和方法的知识体系称水利科学。用于控制和调配自然界的地表水和地下水，以达到除害兴利目的而修建的工程称水利工程。

在1991年出版的《水利百科全书》中说得更直捷些：水利就是"采取各种人工措施对自然界的水进行控制、调节、治导、开发、管理和保护，以减轻和免除水旱灾害，并利用水资源，适应人类生产、满足人类生活需要的活动。"一句话，完全以人为中心。

现在大百科全书在进行修订，还要我这个外行任水利部分的主编。我的办法是在商定条目后，分请有关专家起草，集体讨论定稿。"水利"这一主条就请原撰稿人钱正英同志负责修订。她经审慎考虑，开过几次会，听取了各种意见，数易其稿，现在的提法是：

水利的含义可概括为：人类社会为了生存和可持续发展的需要，采取各种措施，适应、保护、调配和改变自然界的水和水域，以求在与自然和谐共处、维护生态环境的前提下，合理开发利用水资源，并防治洪、涝、干旱、污染等各种灾害。研究这类活动及其对象的技术和理论知识体系称为水利科学，为达到这些目的而修建的工程称为水利工程，从事与水利发展有关的各种活动总称为水利事业。

当然这一提法还没有最后审定和出版，但比较一下两者的区别是可供我们深思的：

原来提的是人类社会为了生存和发展的需要，现在在发展前加了个限制词可持续；

原来提的是进行控制和调配，现在提的是适应、保护、调配和改变……

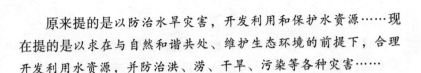

原来提的是以防治水旱灾害，开发利用和保护水资源……现在提的是以求在与自然和谐共处、维护生态环境的前提下，合理开发利用水资源，并防治洪、涝、干旱、污染等各种灾害……

我认为，这里透出的信息是重要的。

二、对"兴利除弊"的新认识

兴修水利的目的是为了兴利除弊，这是传统的提法。兴利除弊当然没有错，新中国成立五十多年来，通过大量的水利建设，确实兴了许多利（如发展灌区、向工矿城市农村供水、发电、通航……），除了许多弊（如防洪、抗旱、排涝……），成就俱在，无可否认。问题是：

在兴利除弊的过程中，不注意、不重视甚或掩饰引发出来的新弊端，甚至是更严重的弊端；

水资源过度开发，造成根本性枯竭，河道干涸，地下水水位下降，沙漠扩张，生态破坏；还有水资源的不合理开发，如在干旱地区河道上游建平原水库，导致宝贵的水资源大量蒸发损失，下游土地减产和水源枯竭；

水资源全面污染，供水量大增，污水也成比例增加，不仅有河皆干，而且无水不污，灌区出现盐碱化；

为防洪，堤越修越高，河床也越淤越高，人与水争地越来越严重，防洪压力越来越大，每逢汛期，千军万马上堤"严防死守"；

有些大坝修建后，水库淤积，河道断航，渔业减产，珍稀物种受影响，移民生活困难；

社会上形成不珍惜水的习气，处处要求以需定供，浪费惊人，水资源危机空前严重；

··········

这一切说明传统的水利工程还会起"兴弊除利"的副作用，走老路已难以为继。首先要承认水利工程会"兴弊"，但现在哪一个工程的"可行性研究"中把"兴弊"的问题说透彻了呢?过去水利学中总是研究水对人类的灾害，却不研究人对水造成的危害。因此，在清华大学水利水电工程系建系 50 周年庆典上，我说了一番极扫兴的话：要开设一门"水害学"，专门研究修水利工程产生的祸害。在国务院组织的南水北调工程汇报会上，我又危言耸听地说：如果问题没研究透，没解决好，大调水就意味着大浪费、大污染、大破坏。我还说过，全国水问题搞得如此严重，水利工程师是罪魁祸首之一，并因此得罪了所有水利工作者。

但我仍然认为：在新世纪中搞水利，必须把"利"和"弊"研究清楚，在研究中，要用动态而不是停滞的观点看问题，要从全流域、全国而不是从地区范围看问题，要从总体而不是从局部看问题，必须把水利融入到一个更大更全面的领域中来认识。不要只研究水对人造成的水害，还应研究人对水造成的"人害"。总之，不仅要在工程上，更要从思路上、管理上都来一个大变化，这也许是最关键的一点吧。

三、从传统水利走向现代水利

人们常把中国现在的水利问题归纳为三句话：水多了(洪灾)、水少了(缺水)和水浑了脏了(淤积和水环境污染)。当然，这三者是交叉相关的：为防洪尽量宣泄洪水，大洪后往往接着大缺水；为供水尽量从河道取水，结果河流干涸、河床淤高，小洪水成大灾；在缺水和水污染间更存在密切的互为因果关系。

为了更科学地解决问题，从钱正英、汪恕诚等领导同志到广大老、中、青专家、工程师和有关科研人员与学者，都作了深入研究和讨论，或从全局、或针对某专题，提出许多新的思路和策略。数量之多，难以尽读。总起来讲，大的思路似可归纳为以下几条：

(1)工业时代以来，以为"人是万物中心和主宰、人可以利用科学技术控制和征服自然、让一切服务于人"的主流思想是不正确的；应代之以："人类活动要适应自然，和自然和谐发展。"这是一条总原则，水利工作也要以人与自然和谐为目标。否则，人类活动将成为发生灾害的主因，最终将影响人类自身的生存。

(2)水是一种重要的、有限的(虽然是再生的)、短缺的特殊自然资源。水不仅是资源，而且是生态环境的支持体。那种把水当做上天赐予的礼物，认为可以无穷尽、无代价索取和利用的观点是完全错误的。

(3)一个地区的水资源及其承载力是有限的，其开发利用必须限制在合理范围内(例如，对一条河流的取用水量不能超过40%，对地下水的利用必须做到基本平衡)，也就是只能"以供定需"，不能"以需定供"，最后要做到零增长、循环经济。

(4)水环境的承载能力也是有限的，必须将可利用的水资源在生产、生活和生态用水之间做合理分配，必须保持最低的生态用水要求(包括数量和质量)，使自然界能保持生态恢复能力。必须防治水资源的被污染。否则，一定会破坏生态环境，走到难以为继的地步。评论水利工程的可行性和效益，应以生态影响为先，然后才是社会效益、经济效益。

(5)水的问题不可能在封闭的小区域内解决，不能就个别问题孤立地解决，不能仅靠工程措施来解决，不能"就水论水"地解决，而要全局统筹考虑，要与农业、生物、森林、环保、水产……诸多部门配合，工程与非工程措施结合，依靠经济杠杆，加强全面科学管理并在正确有效的政策支持下来解决。

…………

总而言之，水利要从传统的、工程型的模式中走出来，从单目标开发的模式中走出来，走向新的模式。这种新的模式，有的同志称之为"资源水利"，也有叫"环境水利"、"现代水利"、"绿色水利"……如果这个方向是对的，则大学水利系的课程、设计院、研究院的方向和有关产业也得相应调整一下吧。

这些思路又怎么落实到具体任务中去呢？我们姑且仍按照"三句话"的范畴来看一下：

防洪：现在人类还不能消除洪灾，所以不能无序、无节制地与洪水争地，要学会与洪水和谐相处，给洪水出路。防洪的目标应该是：采取各种合适的工程与非工程手段（后者包括洪水预报、科学调度、防洪保险、统一管理……），使洪灾损失下降到可控制和可承受的程度，从单纯的工程防洪转变到建设全面的防洪减灾体系上来，进而还要将洪水作为资源利用。

水资源短缺：全面调查所有的水资源（包括地表水、地下水、土壤水、大气水、雨水、废水、污水、海水……），落实可开发利用的程度和数量，实行统一管理、科学配置、高效利用，特别要因地制宜地重视对非传统水资源的利用。要以供定需，制定合理的发展规划，进行经济结构调整，切实执行"节水为先"的基本战略，全方位节约农业、工业和生活用水，控制需求，在此基础上确定必要的和可能的从外流域调入的水量，做到供需平衡和可持续发展。工程措施要大中小并举，中小为主，集中与分

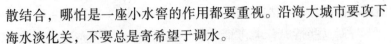

散结合，哪怕是一座小水窖的作用都要重视。沿海大城市要攻下海水淡化关，不要总是寄希望于调水。

环境：控制对地表水和地下水的开发利用量，保证为保护生态环境所需的最低用水量和水质，制止生态环境的进一步恶化，因地制宜地采取各种有效手段(包括生态移民)治理已被破坏的生态环境，使之逐步得到改善与恢复。

在治污方面，实现从"末端治理"向"源头控制"的战略转移。全面治理城市污水和农村面污染源，切实执行"治污为本"的基本战略。

管理：要从目前法制不健全、市场不完善、管理体制不科学、技术水平低的情况，转变到有法可依、充分利用市场体制和以新技术武装的科学管理的轨道上来。

很显然，要达到上述目标，不是水利部门或某一地区能独立完成的，这是新世纪中摆在国家、政府和全国人民面前的一项艰巨的挑战和任务。

四、新世纪的几项巨大水利建设

1. 治理黄河

黄河可能是世界上问题最多、最复杂的一条河流，问题的关键是泥沙。五十多年来，新中国在治黄上作了巨大努力，兴建了很多工程，包括小浪底这样的骨干工程，远远超越历朝历代，但也有失误，也走过弯路。目前黄河的情况是：虽然五十多年来保证安澜，入河泥沙总量有所减少，但水量减少更快，汛期常形不成洪峰，枯水期河道断流，生态环境恶化，河床淤高，出现"二级悬河"，平滩流量越来越小，遇稍大洪水即上滩，甚至有溃堤改道的危险，支流渭河更到了需抢救的程度。可以说，集断流、溃堤、淤积、污染诸问题于一身。

针对这些情况，水利部汪部长提出近期治黄四条要求：堤防不决口、河道不断流、水质不超标、河床不抬高。这些问题都出现在中下游，但原因需从全流域找，治理当然也要全流域全方位进行，不能孤立地解决。上述四条要求相互关联，如果我们仍把四者分开来看：①堤防不决口，现在已有小浪底水库和上游、支流许多水库，在加强水文气象预报的基础上，科学调度水库，配合适当的工程和管理措施，至少在小浪底水库冲淤平衡前，是可以做到的。②河道不断流。实现全社会节水，实施全流域所有水资源统一调度，争取外流域调水，也是可以做到的。③水质不超标。这不是能不能做到的问题，而是愿不愿、去不去做的问题。④河床不抬高。这是问题的本质，是最重大、最艰巨的问题。新世纪里，我们要以解决"不淤高"为中心，采取综合措施，同时解决这四大问题，"要把黄河的事情办好"。

具体讲，我们能做些什么呢？

(1)坚持开展上中游水土保持工作，总结经验，巩固成绩，从点到面，尤其重点治理产生粗沙的源头，进一步削减入黄泥沙。

(2)通过全力节水治污和引入外流域调水，千方百计增加黄河水量（最终规模为黄河及北方地区增加 300 亿 ~ 400 亿 m^3／年的水量），并对全流域全部水资源统一调度管理，这样才有条件办应办的事。如果黄河一直处于半干涸、常断流的状态，什么问题也解决不了。

(3)通过工程和管理措施，在中下游形成一条相对稳定的"中水河槽"，使中小洪水可以通过较窄的河槽下泄而不上滩，消灭"二级悬河"，这样才能解决不决堤的问题，而且用"人造

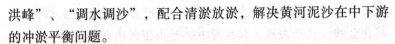

洪峰"、"调水调沙",配合清淤放淤,解决黄河泥沙在中下游的冲淤平衡问题。

(4)在河口修建适当工程,稳定流路,降低高程,引起溯源冲刷,改善下游河道淤高情况。

关于第(3)条的实施,目前还没有一个公认的最佳方案,而且牵涉到大堤内滩地的利用问题。滩地本是洪水时的行洪道,枯水季可利用它搞农业生产。由于二十多年来下游洪水越来越小,滩地的利用程度越来越高,现在有 181 万人住在滩地上,用生产堤保护,完全违背了原来的行洪原则。这是难以为继的,必须结合城市化和工业化改造,把绝大部分人迁出去。滩地只能是科学化、机械化、现代化地利用,由少数人从事季节性的农业生产。否则,河槽越淤越高、平滩流量越来越小、生产堤越修越高,汛期为了保生产堤要求上游水库对小洪水也调蓄,后果只能是走向恶性循环。对治黄,必须有大手笔才能改变局面。有些做法目前看来难以实行,从整个新世纪看,是能够做的,必须做的。

2. 长江防洪

长江流域水量较丰,平均每年入海水量近 1 万亿 m^3,因此重点问题是采用工程措施和非工程措施解决长江洪灾这一心腹大患。长江流域面积达 180 万 km^2,洪水组成复杂多变,不能指望依赖一种措施、一个工程来解决所有问题,而需统筹考虑、综合解决。在工程措施方面,还是依靠堤防(泄)、水库(调)和分洪区(蓄)三大项。在非工程措施方面,要实现较精确预报、科学调度、全流域统一管理和推行洪灾保险制度等。

通过 20 世纪的努力,长江防洪形势有很大变化,而且将进一步得到改善:①沿江大堤得到全面加固加高;②三峡水库即将建成，可发挥骨干作用；③支流及上游已建成不少其他水库，尤其在金沙江、雅砻江、大渡河……上正在兴建许多大水库，将形成巨大的水库群；④中游的退田还湖、平垸行洪、河道清障得到切实执行；⑤上游水土保持工作初见成效，将坚持进行下去；⑥预报、调度、管理等水平不断提高，新的防洪思路逐步深入人心……因此，新世纪里长江防洪问题必将有新的突破，关键是如何科学地综合各项措施的作用，发挥最大最优效果，将长江洪灾损失降低到最低程度。下面试举几个值得深入讨论的问题。

——长江流域已建并将建大量的水库，但各水库都有其开发目标，不能全为防洪服务。如何才能在遇到特大洪水时充分发挥其作用呢？传统的调度方式可否优化？是否可有个规定，当发生意外情况时，国家有权对各水库进行紧急调度，即在保证安全的前提下，可改变正常的调度原则，以维护全局最大利益。当然，防汛指挥部门必须全面掌握各工程的情况，进行科学调度，由此而引起的经济补偿问题也应妥善解决。

——分洪区是长江防汛的主要手段之一，目前分洪区内居住大量群众，是生产基地，分洪一次，风险和损失巨大，实际上很难下决心启用，形同虚设。必须重新全面规划，按"常用"、"少用"、"稀用"分类，分别制定利用方式以及安全、撤退、补偿等机制，认真建设，使分洪区内群众在需要时确能安全撤退，事后得到补偿，分洪区名副其实。

——长江干流和支流（尤其是洞庭四水流域）间洪水的关系极为复杂，要研究在不同洪水下，如何做到江湖互补互利，需采取何种措施，获得最大效益，恢复洞庭湖的青春。

——各种非工程措施的研究和实施。

当然，长江流域治理工程远不止此，如长江口的整治工程也是当务之急，不详述。

3. 全国水资源合理配置

中国水资源在空间分布上很不均衡，与各地区经济发展情况更不适应，因此在全面实施节水、挖潜措施的同时，仍有必要实施跨流域调水。除了著名的南水北调三条线外，在新疆(引额、引伊)、东北(向松花江中游、辽西、大连调水)、山东(西水东调)、甘肃(引洮)、陕西(济渭)、青海(引大)、河北(济淀)、山西(引黄入晋)、太湖(引江济太)……都有艰巨的调水任务。多数调水工程的距离动辄数百公里甚至更长，引水隧洞全长数十乃至数百公里，工程艰巨浩大，问题复杂困难，但又非做不可。可以说，长距离跨流域调水是新世纪中国水利建设的特色之一。

跨流域调水在国际上有成功的前例，如美国西部的调水工程，也有在规划上失误和在经济上、工程上失败的例子。鉴于我国调水工程规模和影响都很大，必须谋定而动，建一个成一个，发挥一个的作用，而且只调"必需调、可以调"的那部分水量，绝不是越多越好。

要使调水工程取得成功，必须对调出区、调入区和调水路线区作详细的调查研究，了解其自然、社会、经济的现状，预测其发展和变化，不能引起污染和生态环境破坏的转移。对调出区要特别注意合理的可调水量、调水的影响和补偿措施。不能超过合理可行的范围调水。对调入区要特别注意当地水资源的应用和节水情况，必须在充分发挥潜力的基础上确定必需的调入水量。对调水线路和工程措施，要多方案比较优选，采用新技术，做到安全、简单、移民少、投资省、见效快、维护方便，有调节能力。

调水工程的成功，并不全取决于方案和工程，更大程度上还取决于经济和管理问题。如外调水和当地水的统一管理和合理配置应用，投资、运行、管理体制的研究，水价的确定和征收，各地区各部门利益的协调等，十分复杂。

在新世纪，中国将实施许多巨大的调水工程，将在实践的基础上解决上述难题，完成全国水资源的合理配置任务。

4. 全方位节水工程

中国这样一个水资源短缺的大国，特别在干旱地区，如果不真正实行"节水为先"的基本战略，是没有出路的。我们确实要把每滴水都当做生命源泉来珍惜，搞全方位的节水工程。农业是最大的用水户，也是中国单位 GDP 产值耗水量比发达国家高出数倍乃至数十倍的主要原因。今后，不仅农业总耗水量不可能再增加，而且要实施现代化的节水农业，在增产的同时大量节水，移作他用。这包括：改良品种，节水灌溉，旱作农业……工业的单位产值耗水量也必须大减，各行业都要以国际先进指标为准进行节水改造，提高重复利用率，不达标的不仅是处罚，而是关闭。要注意利用非传统水资源。干旱地区不能盲目发展高耗水产业，否则不予供水。还可考虑进口耗水量大的产品（进口虚拟水）。随着城市化的发展和生活水平的提高，生活用水总量必将增加，但必须认识到我国生活用水只能是低标准的，要采取一切手段杜绝浪费、合理消费，使主动节水成为人人自觉的行为。

推进全方位节水工程需要政策、技术和经济手段，而且要大量投入。即使节水投入与开源相当甚或稍高，也应毫不犹豫地先搞节水，这不是单纯的经济比较，而是关系到能否可持续发展的问题。在开展全方位节水工程过程中，还会推动新的技术发展、形成新的生产环节、出现新的产业链。中国这样一个大国，如能做到像以色列那样的节水水平，提早实现耗水零增长，发展先进的节水技术，形成强大的节水产业，树立全社会节水的风气，将是人类发展史上的历史性贡献。

5. 治污和生态环境治理工程

中国的工业化远未完成，而环境污染尤其是水环境的污染已达到难以为继的地步。全国江河湖泊和地下水都受到不同程度的污染。据调查，全国有 75% 以上的湖泊水域、53% 的近岸海域已显著污染。在调查的 10 万 km 河段中，水质劣于 IV 类的占 42%。138 座大城市的地下水，有 97.5% 被污染，其中 40% 为严重污染。2000 年全国废水排放量达 600 亿 t，80% 未经处理直接排入水域。城市污水处理率仅 13.6%。许多厂矿无废水处理设施或者即使有也形同虚设。

水的污染不仅破坏了水环境，给生活、生产的安全用水构成威胁，同时更加剧了水资源的紧缺，两者互为因果、恶性循环，引起生态环境的破坏：植被死亡、水土流失、湖泊富营养化、鱼虾绝迹、物种消亡、河道干涸、草原退化、沙漠扩展、地下水水位下降、海水入侵……更谈不上自然景观。总之，人类活动的失误，加上自然、历史因素，造成中国今天的水环境和生态的严重恶化。

在新世纪我们必须吸取以往的沉痛教训，研究外国的经验，在全国范围内开展治污和生态恢复工程。

治污要从源头抓起，即实行清洁生产，淘汰落后的产业和工艺，坚持污染预防战略。对废水严格进行治污处理，城市污水和工业废水要 100% 处理，不仅须达标排放，而且要控制总量，逐年下降，使江河湖泊能稀释自净。在农业生产中要合理施用化肥和农药，控制面污染。治污费用必须有着落，治污法规必须严格。

在节水和治污的基础上，进而恢复由于水利因素而遭破环的生态环境。首先是保障最少的生态环境用水，用以冲沙刷床、水土保持、植树造林、保护湿地、回灌地下水……尤其要控制水土流失，拦沙淤地，封育保护，恢复植被，退耕还林还草，防治进一步荒漠化。下决心修复生态，不断改善，进而美化生活环境。

在这一巨大的工程中要注意几点。一是要舍得把一定的水量和资金用在保护和恢复生态环境上。二是要实事求是，因地制宜，防止一刀切的简单做法。例如在恢复植被上，宜林则林，宜灌则灌，宜草则草。三是不要提不合实际的口号，例如"人进沙退"、"向沙漠开战"……我国的沙漠大部分是在地质年代形成的，目前不能消灭或改变，主要是停止由于人类活动引起的沙化，并尽量修复。四是纠正错误的人类活动，采取有效的补救措施，让大自然有休养生息的机会，发挥大自然的自我修复能力。因此，人工栽树不如封山育林，人工栽草不如减载轮牧。

我相信，经过坚持不懈的努力，中国必将恢复绿水青山、蓝天白云的秀丽面貌。

6. 水电大开发

中国到底有多少水能资源，并无确切数据。据水力发电工程学会最近的资料，全国可开发的水电容量为 5.4 亿 kW，年发电量 2.48 万亿 kW·h。到 2003 年底，水电发电量 2 830 亿 kW·h，不到其零头。现在在建的水电项目中，20 万 kW 以上的容量为 4 640 万 kW，大型抽水蓄能为 720 万 kW。2004 年 9 月全国水电容量突破 1 亿 kW，成为世界上水电容量最大的国家，但在全国总发电量和容量中，水电仅占 18% 和 24% 的比例。

从长期看，中国的能源和电源是个重大问题。预测 2010 年全国电力装机容量将达 9 亿 kW 以上，2050 年可能达 16 亿 kW。一次能源主要依赖煤炭，但面临采掘、运输和环保等条件的制约。加快开发水电，实施西电东送和全国联网，是缓解能源供需紧张的重要措施，也是国家的基本国策，正在实施中。

有的同志认为水电的比例总是有限。20%并不是一个小的比例，而且不应忽视水电的再生性质。如果2.48万亿 kW·h 的水电真能全部利用，相当于每年燃烧 12.4 亿 t 原煤或 6.2 亿 t 原油，利用 100 年就是 1 240 亿 t 原煤或 620 亿 t 原油，利用 200 年就是 2 480 亿 t 原煤或 1 240 亿 t 原油，远远超过我国目前已精确查明的剩余可采矿藏。何况水电还有提高电能质量、保障电网安全和大量综合利用效益。

水电作为能源的特点和优势是：它是可再生的，清洁的，而且是明确的，不断流失的。水电是人类目前惟一可以大规模商业开发利用的可再生清洁能源。

当前我国水电开发面临从未有过的大好形势。世界上最大的三峡水电站已发电，不久将竣工。金沙江、大渡河、雅砻江、乌江、红水河、澜沧江、黄河等十二大基地正在全面开发建设。在水能资源较少的地区，仍有不少中小型、低水头水能可以利用，还需兴建大量高水头大容量的抽水蓄能电站，以解决调峰填谷问题。预计到 2010 年和 2020 年全国水电容量将分别达到 1.5 亿 kW 和 2.5 亿 kW。

开发水电也面临许多制约因素。首先是淹没损失和移民问题，其次是对一些生态环境的负面影响。我国主要水电资源集中在西南高山峡谷中，淹没损失及移民数量相对较少，且当地经济落后，人民贫困，正要借水电开发改变面貌，所以地方政府和人民迫切希望开发。生态环境问题也相对较少，只要按上面所讲的原则，认真对待，也是可以解决的。

我国降水时空分布不均，水能利用还存在调节和输电问题。

除修建必要的调节水库外，要依靠国家的"西电东送、南北互供、全国联网、水火互济"政策来解决。三峡水电站投产后，全国联网的格局初步形成。今后，电网的规模和技术水平将迅猛发展，足以充分利用水能。中国将建成无数称冠世界的高坝、长隧洞、巨型电厂和制造相应的机电设备，解决泥沙、消能、环保种种问题。中国无疑将成为世界头号水电大国和水电技术强国。届时，中国的水电勘测、设计、施工、运行、管理、制造、更新改造……都将跃居国际领先水平。

7. 建立完善的水资源管理体制

在新世纪里，中国将逐步建立一套科学的、完善的、能保证水资源合理利用和保护的体制。

首先要完善有关的法规条例，做到有法可循。在政府依法宏观调控下，将全国水资源纳入统一管理和配置的框架中，根除盲目开发、浪费和污染的陋习。要明确划分水权，建立水市场，按照经济规律，确定合理水价和进行水资源交换，不再是无偿、低价、自由采取了。对各水利工程，要明确产权的归属，依法经营收益。这里有很多"软科学"问题要探索。通过实践，中国会取得重大的成就和突破。中国的社会将形成讲究节约和文明、自觉重视保护自然的优良风气。

水利工程不能只言利不言弊

人类和水打交道的历史，大致可分为三个阶段。首先是"无能为力"和"力不从心"的阶段，面对滔滔洪水或赤地千里的大灾难，只能逃荒或死亡。

随着生产力和科技的发展，人们兴修水利工程，要管住水、利用水，进入到"改造自然"的阶段。人们修堤、筑坝、建库、挖渠道、开运河、建电厂，发挥防洪、灌溉、供水、通航、发电等效益。但在取得巨大成绩的同时，也有失误，受到大自然的报复，甚至留下不可弥补的遗憾。

第三阶段应该是，人们在总结正反经验的基础上，对水进行更科学、合理的保护、治理、开发、利用，做到可持续发展，做到与大自然和谐共处。

以上三个阶段没有明确的界线，是逐渐过渡的。我们国家目前仍处于第二阶段，但我们必须尽快地走上第三阶段，否则会出意外，水利会变成水害，工程师会变成罪人。搞水利工程是为了兴利除弊。对兴利，大家是重视的，每一本"可行性研究报告"中，都把工程效益说得详而又详、细而又细，但在除弊上就底气

注：本文发表于 2003 年 2 月 21 日《光明日报》"院士论坛"中，并收入《高端视角》，光明日报出版社，2004 年 12 月版。

不足了。我这里所谓"弊",是指修工程后引起的弊。大自然经过千百年的磨合,已形成一个平衡的系统。修建水利工程,必然扰动这个平衡。在新的平衡状态下,可能出现弊。我们一定要重视它、认识它、解决它。所以我建议在水利学科下搞个二级学科——"水害学",或更全面些——"人类活动引起的水害学"。能正确认识这个问题,才能正确解决问题。

现在学校里有很多课:水文学、水力学、力学、结构学、岩土工程、施工学、管理学、经济学等,多是为第二阶段任务服务的。这无疑是重要的基础,今后还要大发展。但我总觉得还缺点什么,就是对工程利弊的科学分析。

要真正评价一个工程:①必须用动态而不是停滞的观点看问题。有的工程能发挥点近期效益,但从远景看,弊端更大。②必须从全流域而不是从小范围看问题。有的工程从局部看利莫大焉,从全流域看就不可行。必须注意,水利工程是牵一发而动全身的工程,下游工程影响上游,上游工程影响下游,地面牵涉地下,地下牵涉地面,跨流域工程影响面更广。③必须从总体而不是从局部看问题。建大库调节径流,当然好,但天然洪峰就此消失。大量开发水源可为民造福,但破坏了生态环境,还助长了消费。总之,要在更高的层次上研究问题,不要争一时一己之利而贻长远之患。

对今后的水利规划和建设,我们应当在认真总结过去正反经验的基础上,按照中央的要求,全面规划、统筹兼顾、标本兼治;做到兴利除害结合、开源节流并重、防洪抗旱并举、合理开发、高效使用、优化配置、全面节约、有效保护、综合治理。既遵循自然规律,又遵循价值规律,以求更好地解决我国洪涝灾害、水资源不足、水土流失、水环境污染等问题。

在新的思想指导下进行西北水利工程建设

　　近年来，我一直在思考，西北地区水利工程的布局问题，在本文中我不想简单地介绍今后在西北将修建多少座工程，而是想回顾一下五十多年来西北地区搞水利建设的经验教训，看一看今后的工程建设应该以什么思想为指导，走什么样的路，我觉得这比罗列一些工程项目，宣传它们的规模和效益更有意义一些。只有方向对头了，我们才能正确地选择"重大工程"，并进行合理的布局。

一、人和自然和谐共处是必须遵循的发展方针

　　西北地区十分干旱，自然条件非常严峻，要大力开发西北，核心问题是水的问题；就是要用有限的水资源来满足生产、生活、生态三方面的需求，做到可持续发展。要达到这个目的，必须站在全局和长远的战略高度，对水资源进行合理配置和高效利用，这是惟一的出路。

　　目前的情况距这一要求相差很远，甚至是背道而驰。因此，今后西北地区水利建设的原则和重点应该和以往的做法有明显的

　　注：本文系作者在中国工程院"西北地区水资源论坛"上所做的报告摘要，2003年4月11日。

区别。

提到水利建设，人们往往会想到修堤、筑坝、开渠、挖洞、发展灌溉、向城镇工矿供水，乃至实施跨流域远距离大调水等。这是狭义的水利建设，或可称为"水利工程建设"，过去我们重视的就是抓这一类建设，特别是一些大型工程，更是作为"人定胜天"、"改造自然"的典范和美谈。这类建设当然重要，而且确实取得了不容否定的巨大成就：西北地区已建成许多重要的粮棉生产基地、一定规模的基础工业、若干座大的城市，经济有了巨大增长，为今后的发展奠定了基础。可是沉痛的教训也告诉我们，偏面重视工程建设，是要产生意想不到的后果的。因为这将导致水资源的过度开发、低效（甚至是不合理）利用、粗放管理和生态环境的破坏，最后走到难以为继的地步。我说过："一位水利工程师尽管有一颗爱国忧民之心，也掌握科学技术，但如思想认识上有偏面性，可能会好心做坏事，甚至成为破坏水资源和生态环境的罪人。"我还建议在大学水利系开设一门"水害学"，研究人们开发水利引起的灾害。话虽偏激，是有一定道理的。

这么讲有事实根据吗？实例不仅有，而且还不少。譬如说，在干旱沙漠地带仅有的一条内陆河上游，建一座大的平原水库，开发附近灌区，可能形成了一块人工绿洲，开垦了一些耕地，收获了一些粮食，但大量的水蒸发消失了，下泄的水量锐减了，给中下游造成毁灭性的灾难，连"三千年不死"的胡杨林都消亡了。"绿了一小块，黄了一大片"，这是功还是罪呢？又有些同志，毕生规划开发灌区，这本是大好事，但建成后，灌区是否配套，用水是否浪费，环境是否污染，工程是否老化，他是不管的——也许没权管，他又在为立项开发新灌区而奔走了。有限的水资源这样低效利用，怎能做到可持续发展呢？还有些同志千方百计"开源"，把地表的、地下的水都挖掘出来，供给工矿城镇，经济发展了，生活提高了，但水资源枯竭了，环境污染了，"有水皆污、无河不干"，无以为继啊。当然，把这种后果都归咎于水利部门是不公正的，政治上的"左"倾路线、计划经济的模式和长官意志决定一切是真正的罪魁祸首，但水利部门是否也应反思一下呢？总之，今后我们必须加强对客观现实的认识，消除误区，改变观点，要以保证人和自然和谐共处为原则来进行社会、经济的可持续发展和建设。

这个原则是否已深入人心、成为自觉的行动准则呢？从表面上看是这样的，因为谁都不反对这个提法。但习惯思维和做法不会轻易退出舞台，部门、地方的短期利益更左右着人们的行为。各省区都有规划研究，资料很丰富，不过核心和重点还是推荐上新项目，特别要上那些开发性的工程项目。对于节水、治污、配套、环保等方面也提了，但或语而不详、聊备一格，或只是些原则，缺少落实的安排(如资金和具体的实施计划)，实际上是很难实施的。可见，要从思想到行动上改弦易辙并非易事啊。我们必须为此作不懈的呼吁和努力。

二、两类工程、五条原则、七项内容

根据以上的思路，今后要在西北进行建设的"重大工程"就有两种含义。一种是常规理解的重大工程，即该工程规模大、投资集中、建筑物宏伟、工期长、影响大。另一种意义则指对合理配置和高效利用水资源、改善生态环境、纠正过去失误、解除人民疾苦等能起到重要作用的工程。当然两者不能截然划分，但也并不完全等同。例如，对已建灌区进行更新改造配套，并不需要新建多少巨大的建筑物，但其意义和效果比新建一个大灌区还大，就属于重大工程性质。我们要特别重视这类项目，这些往往是过去不被重视、显不出"政绩"、惊动不了舆论的工程。相反，我们对许多建高坝大库、发展灌区等的"开发性工程"都采取慎重态度，道理很简单，西北水资源已经开发过度而且浪费太大了。

在研究工程布局时，我们将西北地区划分为9个单元片进行分析(天山北坡经济带、塔里木河流域、柴达木盆地、河西内陆河流域、黄河干流上中游河段、宁蒙引黄灌区、湟水流域、黄土高原水土流失区和渭河流域)，但不论哪一片，水资源的合理配置都要遵循下列五条原则：

(1)以改善生态保护环境为前提。任何对水资源的配置利用，如果会引起生态环境恶化的，都不能采取。

(2)合理用水、节约用水、高效用水。凡是有节水潜力、能提高用水效率而未做到的，就不应增加水的供应量。

(3)立足于合理利用当地水资源。当地水资源尚未合理利用的，就不能考虑从外流域调水。

(4)在严重的资源性缺水地区实施跨流域调水。跨流域调水影响复杂，代价很高，只在必要和可行的情况下实施。

(5)水量与水质并重。过去搞水利建设只注意水量。其实很多地方是污染性缺水，不治污和实施污水回用，供水越多，污染越严重。

水利建设如果能遵循以上思路和原则进行，就不再是单纯的"工程建设"，而可称为"大水利建设"。对西北地区而言，这种大水利建设可归纳为以下七项内容：

(1)对问题已经严重的流域，进行全面综合整治。这些流域，水资源利用不当，严重短缺，生态环境遭到破坏，经济发展难以为继，或人民极端贫困，必须进行全面综合治理。例如陕西的渭河流域、新疆的塔里木河流域、甘肃的河西走廊、内陆河流域等。以渭河中下游为例，号称八百里秦川，是陕西的精华地带。由于不重视节水，加上来水量锐减，缺水严重，地下水大量超采，引发环境地质问题，水源、河道严重污染，下游又受三门峡水库顶托，河床淤高，实际上已是悬河，洪灾频繁，已经达到需要"拯救"的程度。综合整治的方向是：调整产业结构，把节水放在首要位置。特别要抓节水灌溉、发展旱地农业，厉行污水防治，实施污水回用，合理利用地下水，各种水源统筹管理利用。还要研究三门峡水电站的运行方式，尽一切可能降低河床高程。在这个基础上再考虑从洮河、汉江调水。其他如塔里木河、河西走廊水系都存在严重问题，需要根据各自情况综合治理。这些流域的治理绝不是兴建一两座大工程就能解决的。

(2)对已建工程特别是大的灌区，抓紧节水、治污、更新、改造和加强管理，例如内蒙古的河套灌区，这比新建灌区更为重要和有效。这种灌区都是历史悠久的大灌区，灌溉面积达数百万乃至千万亩规模，是重要的粮棉基地，也是最大的用水户。但灌区工程老化、配套不全、灌溉水利用系数低、土地盐碱化、水价过低、管理粗放、无力维修，和水资源严重短缺的形势极不相称。这些灌区都有改造规划，我们希望能抓紧进行，保证投入，务求见效。

(3)调整产业结构和改善生态环境的工程。一些地区由于产业结构不当，生态环境遭到破坏，如草原退化、水土流失、湖泊萎缩、植被消亡等，须进行综合治理，包括相应的水利建设。如内蒙古草原是我国最大的畜牧业生产基地，由于过度垦荒、超载放牧，草原生态不断恶化，急需进行草原综合治理工程。为此须退耕、休牧、轮牧、建设饲草基地，实现水、草、畜平衡，向舍饲化、集约化发展。水利方面要根据当地条件，搞一系列分散的水利基础设施，包括适当利用地下水，但不能超采。又如黄河陕蒙河套地区是黄土高原，水土流失严重，不但人民困苦、环境恶劣，而且大量泥沙进入黄河，尤其粗沙几乎全来自本区。泥沙入黄，淤高河床，还需要大量的水冲沙排沙。对这十多万平方公里的水土流失区，必须强化水土保持工作，封山禁牧、修建数以千计的治沟工程，拦泥淤地，植树种草，增加耕地，涵养水源，减少入黄泥沙。这些不起眼的工程，却是当地人民的希望，是治理黄河的有效措施。

(4)扶贫脱困性水利工程。新中国成立已五十多年，西北一些地区的人民生活仍极端贫困，甚至人畜饮水都困难。例如宁夏南部山区，国家已作为重点移民扶贫开发项目，扬黄河水，开发耕地，安置移民。在新世纪中，通过水利建设，解除这些人民的疾苦，使他们脱贫致富，是我们义不容辞的任务。

(5)为实现水资源的合理配置做一些必要的和可行的跨流域调水工程。包括兴建一些大坝、水库工程。这个问题在后面还有些说明。

(6)建设为工矿、城市供水的水源工程。西北地区今后工业和城市化要大力发展，需建设相应的水源工程。

(7)对已建水库的处理工程。绝大多数要继续使用，发挥更大作用；有的要除险加固，保证安全；有的要根据客观条件，调整功能；有的可能需废弃或以其他水库替代。

不符合上述精神或尚非急需而矛盾很大的工程，我们都建议先做进一步研究或协调，不急于搞。例如泾河的东庄水库、黄河黑山峡河段开发(小观音或大柳树枢纽)、黄河北干流上的古贤、碛口枢纽都是这种情况。

三、关于跨流域调水工程

跨流域远距离的调水工程牵涉的因素很多、影响很大、问题复杂、投入集中，只能在必要和可行的条件下实施。另外，西北地区水资源的分布与人口、土地及经济发展区的分布又极不匹配。为合理配置水资源，实施某些调水工程不仅是必要也是急迫的。根据分析研究，以下五大调水工程就需要抓紧规划研究、及时建设或扩建：

1. 额尔齐斯河调水工程

额尔齐斯河水量丰沛，利用程度低，除满足本流域发展需要外，可以适当南调一些水量，以支持天山北坡经济带的发展之需。工程分期实施，现第一期已调水至克拉玛依，还将扩大调至乌鲁木齐地区。实施中应特别注意保证调出区的发展和生态环境保护。

2. 伊犁河调水工程

伊犁河流域堪称新疆的江南，发展前景良好。同时，伊犁河水量丰沛，可以适当外调。一是向北疆调水至艾比湖流域，二是向南疆调水至塔里木河流域。从战略布局上看是完全合适的，但都要穿过天山山系的高山，隧洞长达数十公里，要先做好规划研究，其中向南疆调水尤为艰巨，不是近期能实施的。

额尔齐斯河和伊犁河都是国际河流，我们要和邻邦友好磋商，合理共享。这些调水工程规划细节不宜向外透露。

3. 大通河调水工程

大通河是湟水最大支流，当地需水量有限，有外调余地。除已实施的引大济秦外，一是引大济湟，将水南调至青海最精华的湟水经济带；二是引大济西，将水北调至严重缺水的石羊河水系。后者已初步实施。这些调水工程实施后，受水区务须珍惜使用宝贵的水资源。此外还有引大济(青海)湖和引大济黑(河流域)的规划。水量有限，需深入研究，做到合理配置。

4. 洮河调水工程

洮河是黄河在甘肃境内的一大支流，本流域用水有限，有外调可能。目前拟实施的是引洮济西，即在洮河九甸峡建坝，通过隧洞引水至贫困缺水的定西地区。

洮河离渭河上源很近，因此有条件引洮入渭，给严重缺水的渭河补水，这对"拯救渭河"有重大意义，希望能抓紧规划，尽快立项实施。

5. 南水北调西线工程

在金沙江及雅砻江、大渡河上游筑坝，打长隧洞穿过巴颜喀拉山引入黄河上游。拟分三期实施，第一期调水 40 亿 m³，需投资 469 亿元；最终规模调水 150 亿～170 亿 m³。对于西线调水工程我们是支持的。有些专家对西线调水是否合理可行有怀疑。西线工程的难度和所需投入确实很大，但从黄河严重缺水以及黄河上游地区必须加快发展增加用水的大局来看，对黄河补水是必要的。东线调水位置太偏东，中线可调水量有限，而且主要直供京广沿线城市，无法满足黄河中下游冲沙、供水并保持母亲河中有足够流量等要求，所以西线调水有其必要性，当然也有局限性。希望抓紧前期工作，争取一期工程能早日启动，使从源头上给黄河补水的伟大设想成为现实。

各位同志，我的报告内容就是这些。在结束发言时，还想讲几句由衷之言。

西北地区今后的水利建设任务十分艰巨。要克服困难达到目的，我们首先要总结教训，学会从大局、全局和长远利益考虑问题，按照科学的规律办事，切莫再从局部利益着想，搞短期行为，追求"政绩"，以致再引起不良后果。

今后要进行的水利建设，不少是中小型的、分散的、填平补齐性的、位于贫困荒凉地区的、表面上没有经济效益的、在任期中看不到政绩的……然而，恰恰就是这些工程符合"三个代表"重要思想，符合十六大精神，也是朱镕基总理在任内的最后一次政府工作报告中要求我们做的。希望有关的领导和同志们能深思。

要使西北地区有限的水资源真正做到合理配置、高效利用，我们必须在共同的目标下团结起来，讲大协作。特别当工程牵涉到上下游关系或要跨流域调水时，如得不到有关地区、部门、人民的理解、协调、支持、协作，将是一事无成的。我们真诚希望在新世纪中，大家能在十六大精神的指导下，开诚布公，推心置腹，都以全局利益为重，解决多年来悬而未决的问题，为在西北地区全面建设小康社会做出历史性的贡献。

西北地区的水利建设是系统工程，不是建设一两座个别工程，所以要特别重视统筹规划、科学布局、正确决策。必须做好前期工作，不可仅为迎合领导意图或为本单位利益着想，弄虚作假，搞上马工程，贻害国家。有些工程难度很大，投入很多，要依靠现代科技，不可墨守成规。并希望中央和地方政府妥善安排，根据工程性质，采取合适的政策、措施和机制，政府投入和市场机制相结合，解决好筹资融资问题，使之能保证投入、及时见效。

水资源必须按照水法实施统一管理，新、旧工程都必须实行现代化管理，使之能健康地维护和发展。人类已进入 21 世纪，应该向一切粗放、落后的做法告别了。

新中国成立已五十多年，西北地区仍较贫困落后，许多人民的生活还很困苦，我们是欠了债的。现在形势大好，形势逼人，我们需要抓住机遇，加快进行必要和高效的水利建设，为西北地区社会、经济和生态环境的全面持续发展提供支撑和保障，再也不能错过这个机会了。我们深信，在以胡锦涛同志为总书记的党中央和新一届政府领导下，西北人民一定能在新世纪中迅速改变面貌，建成一个发达、繁荣、文明、和谐的社会。

对南水北调工程的九点看法

南水北调问题已研究了几十年，至今还没有正式全面实施，我想，这里面的原因，一方面固然由于工程规模宏大，投资集中，而且正负影响面都极大，国家不易决策；另一方面也由于问题太复杂，变化因素太多，过去工作中对一些情况和问题还未能摸清说透，在思想方法和工作方法上也存在一些缺点，以至于意见分歧，难以一致，也难以取信于领导、社会和群众，所以迟迟不能定案实施。

现在到了世纪之交，水资源问题更显突出。水利部领导决定重新做总体规划，全面研究论证，广泛听取意见，并成立调水局统一主持这一工作，我认为是十分必要的。根据安排，从制定大纲、原则着手，分阶段组织有关单位进行工作，预计在 2000 年底基本完成第二阶段工作，提出轮廓性意见，2001 年完成第三阶段工作。我想这是一次极重要的机会，我们只要在过去已取得成果的基础上，总结经验，吸取教训，集中力量，遵循正确的原则，改进工作方法，必能得到符合实际的结论，提出切实可行的

注：本文为作者在水利部召开的"关于北方地区水资源总体规划的专题研究会"上的发言（2000 年 1 月 20 日），并摘要刊登于 2003 年 3 月 29 日的《光明日报》。

方案，促使这一伟大工程早日启动，造福人民，造福子孙后代。

由于这一工作的无比重要性，我认为一切工作必须质量第一，必须实事求是，不要赶任务、走形式，当然要力求按计划完成，尤其先完成第二阶段工作，但如果实在来不及，也可以把一部分不影响结论的工作适当调整到 2001 年，但一定要做好。

这次会议是对第一阶段的进展和取得的成果进行介绍和交流，包括规划原则、思路，一些基础性资料和情况，以及对一些具体方案的补充论证、研究。我感到，在短短 5 个多月中，能完成这许多工作，得出不少成果，而且能邀请国家综合管理部门、农业部门、建设部门、环保及科研部门共同进行，优势互补，这是十分正确和有效的做法，加上及时开会交流、讨论、协调，一定可以对胜利完成任务起重要作用。当然，也存在一些有待深化或协调的问题。在我参加的小组中，许多专家对此提出中肯的建议，我基本上都赞成。我也同意会议纪要的提法。下面讲点具体看法。

一、关于规划原则和工作思路

张基尧副部长的报告和调水局的文件中，都明确提到规划的原则和解决问题、完成任务的思路，这些都很正确。重要的是在思想上、工作中切实得到贯彻。我希望参与工作的单位、同志，都要时时考虑这些原则，不要受过去已做工作的影响，不要总是跳不出老框框、旧方案、原思路，总是认为自己过去做的方案最优、最正确。这样，就不能得出科学和符合实际的结论。

二、关于开源和节流的关系

开源与节流并重，节流为主，这是十分正确的。我补充一句，在开源中包括开发新的水资源（包括调水）和挖潜两部分，也要二者并举，而且把挖潜放在第一位（也可把挖潜放在节流中，意义都一样）。北方地区就是缺水地区，不要说南水北调实施尚需时日，即使实施了，调水量毕竟有限，只能以建设节水型社会为主要出路。在做地区经济发展规划时，必须与水资源条件相协调。例如说，不能大量发展耗水工业，甚至是大耗水工业，必须搞节水农业，城市生活用水只能是低标准的，要在不增加、少增加供水的基础上发展经济，提高产值（利用科技创新发展高附加值产业）。总之，不能完全"以需定供"。在这样的基础上，提出和确定南水北调计划就能减少难度，使人信服。

三、关于全面统筹与局部分析的关系

南水北调既要在全流域大系统内统筹考虑，在国家全局利益上协调，做到资源、开发、环境的协调发展，坚决反对不顾大局的本位主义、地方主义，又要分清局部地区不同的条件，区别对待。有的地方水资源相对多些，有的地区特别紧缺，有的地区地下水尚有潜力，有的地区已严重超采，有的地区可利用雨水，有的地区可利用海水，有的地区容易做到地表水地下水联调，有的地方无法用调水来解决问题等。凡此都要尽量摸清，分别选出最好的配置与解决方案。在这个基础上得到全局性结论，凡是对局部问题摸得愈深愈透的，最后的综合性数据和结论就愈能使人信服，如果只是用平均指标近似地加以估算，便不能使人相信。

四、关于基础数据和基本情况问题

对这些基础数据和基本情况，一定要调查清楚，数字要确切，预测要合理，所述情况要真正符合实际，有疑问要查清，实在一时弄不清的也要说明，大的水账一定要对得上口径，没有矛

盾和疑点。现在的成果中，有的数据前后不符，彼此不协调，对某些情况的说明也不够深入。例如不同地区地下水超采的数量和特点、各地区水质污染的情况和性质、各地区生态环境用水的需求等，对现有调水工程的调查资料十分可贵，还可再深入说明。这项工作是十分困难复杂的，而且是动态的，但必须去做，做得愈深入，我们的结论、方案愈可靠，不要在老的资料、报告上简单校对，补充一下就交卷，而需有针对性地做补充研究。可以针对各界提出的疑问、针对主要的分歧意见、针对不断出现的新情况、针对历次会议(包括本次会议)上专家提出的建议来开展补充调研工作。

五、关于各种水资源的合理配置问题

地表径流、地下水、雨水、污水、外调水……都是可贵的水资源，要统一考虑，结合不同地区情况，分别就工农业和城市生活用水进行合理配置，找出最优方案。有时，目前的用水方案并不合适，甚至极不合理，必须坦率提出，要求纠正。原则上应该是在充分、合理利用当地水资源的基础上考虑外调，否则，调水愈多，浪费愈甚，污染愈剧，会出现我们想象不到的后果。

在中国工程院讨论华北地区水资源调配问题时，一些老专家认为：沿太行山麓的城市(保定、石家庄、邯郸等)应该用山区水库的水，而以合理开采地下水和处理后的污水用于农业，比现在的做法合理。而津浦沿线城市的深层地下水超采，已达到破坏环境、难以弥补的程度，急需还债。这次会上也有专家指出，如果扩大北京市的水厂规模，建设管网，密云水库的利用率可以大大提高。有些城市实行地下水、地表水联调后，情况大有改观，实际上是"结构性缺水"，不是"资源性缺水"等。诸如此类的原则性、资源合理配置性的问题，盼望能引起大家的注意，不要完全相信过去的老数据、老论调做工作，把希望完全寄托在调水上。我担心，南水北调第一期工程调来的水恐怕只能还还旧账。要指望这点水实现经济大发展是会落空的。总之，水资源总是多种资源供应，而且有个先后顺序，供给的对象也有不同的保证率，特殊情况特殊解决。

六、关于生态环境问题

生态环境问题必须在我们的工作中充分予以重视。

第一，生态环境用水，一定要给予满足，在耗水量计算中，植被、造林、绿化等需水量必须计入，超采的地下水必须补回，对地下水的开采利用必须做到在长系列中维持平衡，丰水年回灌，枯水年临时超采。各河道要在一定季节维持一定流量，不使河道长期断流、萎缩和河口地区情况恶化，这些水量是必须满足的。

第二，必须解决污水处理问题。特别在水资源短缺且目前已污染严重的地区，不治污是没有出路的。治污，不仅保护生态环境、维护人民身体健康，也在很大程度上增加了水资源的重复利用率，相当于增加了水资源。治污当然要投入，为了大局、全局利益，为了子孙后代，我们在规划中必须立场鲜明，考虑污水治理并提出合理建议。当然要探索符合国情、实事求是、廉价可行的措施，不能一步高标准到位，为此要分析各种污染源的性质和影响，污水利用的范围和后果，进行合理的治理。

七、关于政策研究问题

在我们的研究中，一定要改变过去计划经济时期的那套做法，要充分考虑并按照社会主义市场经济规律办事，这是毫无问题的。但同样重要的是要充分发挥政府职能，要着重研究政策、体制和管理方面的问题，没有合理的、可行的、严格的政策(有的要立法)，想建立节水型社会，想做到水资源的合理配置布局，要解决生态环境保护和治污问题……统统是空话。现在工业、农业和城市用水存在大量浪费现象，各地各行业都可以自由抽用地下水，没有制约手段，这样下去，调再多的水进来，也解决不了问题，只会使问题更复杂化。我认为，所有的水资源都是国家资源，特别是短缺地区，要由国家统一掌握、调配、使用。对工业、农业和生活用水都要根据当地条件规定一个上限，低于此限的可以免费或低价用水，高于此标准的要花高价或给予重罚。地表水、地下水、外调水都应一视同仁、同水同价。

八、关于方案问题

现在可供选择和组合的方案很多，要择优推荐。推荐的方案希望能灵活一些，可以组合(积木式)，可以分步分期实施，较有希望的方案，例如东线一、二期，引黄或调水入淀，中线一期等，工作要做得稍深一些，特别是工程量和投资，要认真核算，千万要实事求是，宁可多估一些。除了主体工程外，要使所调的水能真正发挥作用，还要有大量的配套和辅助工程，这都要有明确说法。对各方案存在的主要问题要鲜明点出，不要回避，没有十全十美的事。

九、关于新技术利用问题

南水北调从启动到实施，跨越时间较长，而现在的科技发展极快，建议在做各种预测时，适当考虑这一因素，采取较先进的指标、措施和技术。我相信中国不可能在今后数十年中停滞不前，包括思想和习惯都会有大的改变。

　　我希望最后提出的方案是科学的、符合实际的、可行的，而且是调水量最少的、代价最低又能满足要求的方案。希望这一方案不仅能满足北方地区水资源的需求，而且能促进整个社会向节水、文明、清洁、可持续发展的方向进步。我希望在这次论证以后，南水北调能进入具体设计和实施阶段，让我们共同努力来做好这一规划、论证工作吧！

黄河下游治理问题的策略

　　黄河下游的治理是一个非常困难和复杂的问题，人们对此存在不同见解甚至相反的看法是很正常的。有些问题不是短时期内能澄清的，所以不能期望很快地确定一个简单的、立竿见影的、各方面都赞同的解决办法。

　　但这并不意味着对黄河下游的治理问题可以不做宏观上的研究、探索。如果不在宏观上进行研究，把大问题弄清楚，就可能在工作上误入歧途，造成历史性的失误。

一、来水来沙变化趋势

1. 来水量

　　20 世纪 80 年代以来，黄河下游来水量不断减少，既有自然因素，也有人为因素。自然因素，如遇上水文循环中的枯水段，这不是人力能够改变的，而且难以预测。人为因素，如黄河上中游用水量的增加，水土保持和环境用水量的增加，超采地下水等，这是可以适当预测，并且可以采取措施调控的。若

　　注：本文为作者在"黄河治理策略北京讨论会"上的发言，2004 年 2 月 20 日。刊登于《人民黄河》2004 年第 4 期，并收入黄河水利出版社 2004 年 11 月出版的《黄河下游治理方略专家论坛》中，本文有删减。

不加控制，预计上中游耗水量会不断增加，对下游将十分不利。建议根据新的情况，在全流域协调的基础上，重新修改分水方案报国家批准，以使今后下游有一个最小的保证来水量。

2. 洪水

目前并无根据推翻"水文有丰枯大循环"这个规律，因此不能因为二十多年来黄河下游来水枯就认为不会来特大洪水。例如，2003 年黄河流域雨量不是很大，但防洪的形势很紧张，如果雨下得再大些，时间再长一点又会怎么样?防洪必须要按照防特大降雨、特大洪水考虑。当然，具体数值可以考虑已有水库和其他因素做些调整。

另外，在更多的年份，由于上中游用水的增加和水库群的调蓄，会出现汛期没有大洪水，甚至形不成洪峰的情况。这对于防洪有好的一面，但对冲沙是不利的，要通过人为操作适当改变这种局面。

3. 泥沙

今后泥沙将继续减少，这是不争的事实，而且我们还要努力使来沙量进一步减少。但来沙量减少并不等于泥沙问题得到了解决，因为水量减得更多。由于对减沙的效果和今后来沙量难以精确确定，因此不妨搞两套方案，按较保守的值进行减淤、冲沙规划和设计，把乐观的值作为努力目标。

二、小浪底水库的调控原则

小浪底水库是多目标综合利用水库，其关键作用是防洪、减淤，其他的目标和水库调度原则都应该服从这两条关键性要求，以使小浪底水库在尽可能长的时期内发挥这两大作用。为此，小浪底水库原则上不能为了保证下游生产堤在中小洪水时不漫顶而经常调蓄，因为这样做将过早地结束小浪底水库的拦沙期，失去为下游减淤的机会，最终还是对下游不利。

凡事要服从大道理、服从长远利益，目前下游河槽淤高，平滩流量很小，即使小洪水也要求小浪底水库拦洪，这样做是不妥的，矛盾要统筹解决。

建议研究制定一个各方面都能接受的小浪底水库对中小洪水的调控运用方案，并使其能够满足下面几个条件：①能为下游防御适当标准的洪水；②为下游减淤而且尽量延长拦沙期；③通过各种措施提高平滩流量，达到合适的标准。具体方案可通过反复研究、磋商定下来，必要的时候由国家协调，通过以后就坚决执行，当然可以根据执行的情况进行调整。

三、生产堤和下游滩区治理方略

黄河下游河滩本来是洪水时的行洪通道，可是由于二十多年来下游的洪水越来越小，因此滩地利用得越来越多，现在已经有 181 万人住在滩地上。生产堤越修越高，完全改变了原来的行洪原则，造成了河槽淤高、平滩流量越来越小等一系列的后果。

现在各方面提出的治理方略可分为两大类：一是"窄河固堤"，把生产堤当做大堤，解放滩地，但是遇到特大洪水怎么办？二是"宽河固堤"，甚至废除生产堤，力求恢复原来的面貌，那么 181 万人怎么安排？

其实，两者也有可以沟通的地方。在主张"窄河固堤"方案中，也有建议把原来的大堤保留，作为二道防线的；在主张"宽河固堤"方案中，也提到过要结合新形势研究改进。我觉得目前不论是采用窄河方案放弃大堤，还是采用宽河方案废除生产堤，都没有十分的把握。大堤是在长期历史中形成的，目前是防洪体系中的最后保障线，没有确切把握，不可轻言放弃，至少可作为第二道防线；生产堤也是历史形成的，滩地上有181万人，在这些人没有找到出路前，生产堤也不是说废就能废的。但是，也不能让目前这样的局面维持下去，应以现有的生产堤为基础，调整改造，配合其他措施，达到以下目标：

(1)稳定下游的河势。

(2)提高平滩流量到合适的值，使滩地在某一标准洪水下可保安全，但标准不必很高。

(3)改造滩地的生产布局，增加安全、交通、保障等设施，迁移部分农民到堤外，在漫滩以后，有秩序地组织撤退，以保证人民的安全，并且要有补偿的措施。

(4)根据以后的发展(外调水源的增加、城镇化的发展)，使问题得到进一步解决。

如何能够提高平滩流量是最难解决的问题，可研究采取以下措施：适当改造加固生产堤、建适当的控导工程、设法增加来水量、人造洪水进行高效的调水调沙、配合机械清淤放淤等，努力使平滩流量达到5 000m³/s左右。这只是暂时的局面，从长远计，不能让181万人长期生活在滩地，要全盘规划，结合全面建设小康社会和城镇化发展的目标，把大部分农民转移出去，使其进入新的产业领域，大大减少滩地农民的数量，实现滩地科学化、现代化的利用。当然，这不是水利部门能做到的，还需要国家和地方政府来支持。总之，对滩地的利用既要有一个大方向，又要结合实际来一步步实现。

四、结合南水北调增加下游来水量

要从根本上解决黄河下游治理问题，一是要减少来沙量，二是要增加来水量。减少来沙已经有不少规划和措施，并在逐步推行，增加来水量主要依靠南水北调。

现在，人们表面上都承认生态用水和生产、生活用水是同样重要的，而实际上生态用水往往被忽视，甚至认为生态用水是浪费。南水北调的目的都是供应某个城市、某个产业，并没有考虑用它来改善生态环境，更不要说冲沙。其实，如果通过南水北调能够使黄河下游长治久安，花几千亿元也是值得的。

西线调水的实施，可以从黄河源头补水 40 亿～170 亿 m^3，要抓紧规划，做好前期工作。

东线和中线正在实施中，要千方百计利用东线、中线，增加黄河下游的水量。东线工程实施以后，应核减受水区的黄河供水配额，增加黄河下游的水量，或直接抽水入黄，问题是要确定合理的水价。中线工程实施以后，在某些时段受水区不需要那么多的水，可以改入黄河，问题也在水费上。现在都是市场经济，调水的公司怎么会把水白白地供给黄河呢? 所以要研究如何突破这些难关，以拯救我们的母亲河。

也许，在上游增加水量，在河口做一些工作，配合下游河道中的一些工程，才是最后的策略。

黄委现在提出了"四个不"的目标：堤防不决口，在加强水文预报基础上，进行水库科学调度，配合适当的工程措施，是可以做到的；河道不断流，实现全社会节水、全流域水资源统调，争取外来水，也是可以做到的；水质不超标，污染完全是人为的因素，不污染不是能不能做到的问题，而是愿不愿去做的问题；

只有河床不抬高，才是问题的本质，是最重大、最艰巨的任务，希望大家共同努力，经过长期的探索和奋斗，最终解决这个问题，解除中华民族几千年来的心腹之患。

黄河下游治理的主攻方向

6 月 25 日

今天的黄河跟 50 年前的黄河已完全不同。五十多年来，治黄确实取得了很大的成就，但也出现了很多新的问题，面临很多新的挑战，需要全面总结经验教训，力求找到一个长治久安的方案，而且要在"十一五"期间做点工作。虽不能在短期内解决问题，至少要明确解决的方向，做好一些准备工作，争取今后二三十年内解决问题。错过这个机会，将留下历史的遗憾。有了主攻方向，也可考虑在科技方面应做点什么工作。

黄河的问题千头万绪、非常复杂。目前的本质性问题，已被许多专家说得很透彻，就是五十多年来，水沙情况发生很大变化，环境不同了，中游、下游水量十分稀少，入河泥沙虽然有所减少，下游河道不但不能刷深，反而不断淤高，后果严重，所以主要问题就是让中下游有足够的水，能泄放足够的流量，刷深下游的河道，能够保证河道有必要的泄洪能力、排沙能力，这就是问题的本质。解决这一问题的关键就是怎么适应来水来沙情况极

注：本文为作者于 2004 年 6 月 25 日、26 日在"黄河下游治理的主攻方向座谈会"上的发言摘要。

大的变化。水量大大地削减，沙量虽也有减少，而河道不断淤高，怎么解决这个问题？黄委对付泥沙问题，已经有几十年的经验教训，他们总结出五个字，即"拦、排、调、放、挖"五大措施。我认为现在需要根据实践经验和新的条件，加以总结改进，另外还要研究新的措施。新旧结合、科学布局，或可做到长治久安。

现在看看上述五条措施。"拦"，我同意绝大多数专家的意见，还是要搞，而且大搞。对产沙区，特别是多沙粗沙区，要加强加快进行全面的整治。我们要研究采取一些简单的、可行的、有效的，能够依靠群众来搞的工程措施，拦沙淤地。具体是什么方案，要通过实践来总结，而且坚持下去。为了拦沙淤地，要用掉一点水资源。这点水一定要用，只要能够找到正确的方案，持之以恒，总会有成效。我们一定要遏制水土流失的趋势，使其向良性方向发展。建议把它列为重大工程项目。这也是水利部、国务院批准的，我想专家们都不反对把"拦"搞下去。

"排"跟"调"都是通过泄放流量，把泥沙排出去。现在的问题是没有那么多的水。排沙的水量估算要 200 亿 m³，或 170 亿 m³，没有那么多的水怎么办？我想第一是高效利用能用的水。我弄不清，现在究竟每年能够用于排沙的水量是多少，总之这点水要想尽办法充分利用，高效率地排沙。很多专家都提出要利用高含沙水流来排沙。另外一个措施，增加排沙水量，一些老专家对此感到渺茫，我觉得不是绝对做不到，我们要理直气壮提出来。目前对黄河水量的利用，工业、农业、生活用水都算是必要的，把生态环境和排沙用水排除在外，这个不行。不但要增加排沙的水量，而且要恢复或部分恢复原有的洪峰，天然情况每年总有几次洪峰，水量流动的模式要恢复到过去的状态，这一点下面还要谈到。

怎么样高效率地利用仅有的排沙水量？要通过科研、试验找办法。利用小浪底水库来调水调沙，这件事我过去一直寄予厚望，因为小浪底建成后，水量可以调蓄，可以放人工洪水，确实对它给予很大的希望。但是 2003 年试验的成果，引人深思。为什么这样说呢？2003 年的调沙用了二十多亿立方米的水，冲走了几千万立方米的泥沙，而且大部分都堆在河口，也没有冲到深海，水库的泥沙也增淤了 3 亿 m^3，这样做似难以为继。我绝不是反对用小浪底调水调沙，问题是今后怎么样利用小浪底的库容和目前能够拿得出的有限水量，起到比较好的冲沙效果。这件事情要仔细研究，看样子要在河道里面做些工程，到底怎么弄，要做过细的研究试验，现在还不明确。

还有两个措施，一个叫"放"，一个叫"挖"，这两个措施都是把已进入河道内的泥沙，用自流的方式或者用机械疏浚的方式，转移到外面去。这两个措施今后只要有条件有效果还是要搞。淤背固堤是一举两得的措施，又清了淤，又固了堤，只要有条件，应继续进行。现在黄委提出来引洪放淤，只要可行，也应该上。

"挖"的措施，我认为也不能够忽视，只要有效，不要挖了后转眼就淤满，这就没意义。这种排、放和挖的措施，在今后的重大工程项目里要列入，只要是可行的、有效的都要做。

上面对过去的五大措施做了些分析。此外，还要认真研究两项新的措施：

第一项就是向黄河补水，特别是西线，从黄河源头补水，增加 40 亿~170 亿 m^3 的水。增加了这点水，情况大不同。建议在"十五"到"十一五"期间，大力加强西线的前期工作和准备工作，争取能够在"十一五"末可以开工。我这里讲的准备工作意义很广，比如要搞西线，要打那么长的洞子，又在那样的恶劣环境之下，常规的施工办法不行，就要列专项研究解决施工工艺和设备问题，集中力量来搞。还有个经济问题，西线工程投资很大，要调 170 亿 m³ 的水恐怕是几千亿元的投入。有人问我，这样天文数字的投入，引水到黄河，到底干什么用？准备发展多少库区，准备给哪一个工矿企业用，卖给哪个城市，怎样还本付息。我认为搞西线工程本质上是国家意志，是政府行为，是一个拯救母亲河的工程，是一个还旧债的工程，过去我们把黄河的水吃光喝干了，现在要还债，不是拿它兴利的。你要求调水工程还本付息，对不起，谁也不会投资这个工程。

我要反问一句，如果你的母亲已经病入膏肓，需要在医院里输液，你会不会问输液要多少钱，母亲好了能赚多少钱，能不能还本付息？西线调水是为了解决黄河的根本问题，希望使黄河长治久安。我想水进黄河后，即使不增加一亩灌溉地，不多发一度电，也不能给城市增供一方水，只要能够解决黄河的根本问题，这 2 000 亿元就完全应该投入。国家和政府就该做这个事。政府收税就是用来干这种事的。我们要向中央讲清楚，这个钱就得要花。何况西线调水进黄河后，加上中线和东线的调水，肯定可以在西部增加很多工矿企业和城镇的供水量，可以使许多水电站增加发电，以及开发灌区，得到经济效益，但西线调水主要是恢复黄河生态，为她治病的，这一点不能含糊。

根据我们国家的国力(今后国力将更快速增长)和科技水平，西线调水工程只要研究透彻，国家下决心，并不渺茫。西线水调进黄河以后，即使全部用于制造人工洪水，用于冲沙和生态环境，只要能够把下游的河道冲深不淤了，只要能使黄河长治久安，就成功了。中国人就做了一件震惊世界的大好事。一个城市修地铁每公里就投十多亿元，100km 就是一千多亿元，那个能干，这个不能干，讲不过去。

总而言之，我认为西线调水是要解决黄河长治久安的问题，是为了拯救我们的母亲河的问题，黄河是我们的母亲河啊。所以，"十五"、"十一五"中的重大工程要强调西线，做好准备工作，促使它尽快上马，西线的水调进黄河以后，谁也没有权利抢用，完全按国家调度应用。

第二项措施就是在河口做工程，在河口开挖冲深。林秉南先生和周建军教授曾经反复提出，要利用海水冲刷河口，利用河道自己的力量，通过溯源冲刷，把淤高的河床冲下去。这在理论上是站得住脚的。河口下去了，总有一个临界坡度，在坡度以上那部分泥沙总要冲走，站不住的。副作用可以防治，与企业、地方的关系可以协调解决。

刚才听了赵业安同志的发言，他们也做了研究，有新的方案，也证明在河口开挖能够起作用。我建议，能不能在"十五"、"十一五"期间，加深科研和可行性论证工作，得出一个合理可行的方案，能够在"十一五"启动。我想如果能做到源头补水，河口开挖，科学调沙，黄河的长治久安问题是有希望解决的。我们要有信心和决心。

此外还有一些问题，像"二级悬河"的问题怎么解决？生产堤要不要废除？小浪底水库如何调度运用等，专家之间还有不同的认识，都要通过进一步的深入研究、讨论、分析，才能得出结论。但是我觉得有些原则不能动摇。比如说小浪底水库不能为了保生产堤而使它的拦沙库容过早淤掉，这和我们的根本原则背道而驰。我想老滩地的利用主要就是收一季麦子。现在黄河的洪水很小，再增收一季作物也可以。但这就有风险，碰到大水，当流量超过一定的标准，就不能保了。要采取以丰补歉，或采取买保险的方法解决风险问题。总而言之不能靠损失小浪底拦沙库容来保生产堤。一百多万农民不能完全住在滩地里，毫无保障，水一来，跑都来不及。我想滩地一定要重新全面规划，怎么利用，农民住在什么地方，放弃时，人怎么撤出，是全面放弃，还是部分放弃，例如把一部分滩地作为滞洪区，水位到一定程度，就自动进水，人可利用隔堤撤离，或在高地安排避水台。总而言之，全面规划一下。不要改变小浪底的调度原则。

徐乾清院士归纳了黄河下游河道整治的方案有四类，我建议不要在四类方案中选一，因为有的是短期奏效，有的是长期措施，能不能把可行的措施科学地综合起来。因此，建议在"十一五"的重大工程措施中能够列入下面这些项目，这和很多同志及黄委领导的报告都基本相符：

第一，堤防继续加固、加宽，包括放淤，防洪毕竟还得做最不利的打算。现在好像还不能马上放弃大堤，所以，大堤的加固、加宽工作需要列在重大工程项目里。

第二，拦沙淤地工程，特别是产沙区和粗沙区的拦沙淤地工程，要列在重大工程措施内。

第三，生产堤后的滩区应明确是行洪区，它的利用和安全建设应该有个全面考虑。我认为有的老同志提的建议值得研究，要有一个全面的规划，而且要给予投入，把滩区整理好。原则是尽可能利用，但不能影响黄河的防洪大局。

第四，合适的放淤工程。汇报材料很吸引人，小北干流有100 亿 m³ 容积可放淤，相当于一个小浪底库容。如果确有可行的放淤工程，建议把它列进去。

第五，解释、宣传西线调水工程，先加强前期工程和准备工程，争取早日开工。

第六，河口工程，或可叫河口治理工程。在最近几年里要大大地加深研究工作，能够拿出可行性报告，把有关的问题和顾虑解决好，如果真像林秉南先生讲的，只要26亿元就能做的，怎么不敢做呢，就怕问题没有研究深、研究透，没有解决好。

第七，渭河的治理工程，渭河虽然不是下游河段，其治理问题在"十五"、"十一五"期间非做不可。

我是外行，以上这些只是抛砖引玉。

6 月 26 日

钱正英副主席提到三条黄河：过去的黄河、现在的黄河和今后的黄河。重点就在今后的黄河怎么样。我觉得这点非常重要。现在黄河的来水来沙不断地减少，究竟以后怎么样？这个大问题总得有一个说法。钱副主席把这个情况分析了一下，分为三类因素：

第一类因素，就是水文的波动。水文周期有丰水期、枯水期，而且从黄河的记录来看，出现过连续多年的丰水期和连续多年的枯水期。就水文波动而言，不能认为黄河今后就不断枯下去，回不到丰水期了。正因为这一点，我认为黄河今后防洪的问题不能掉以轻心，因为在特大洪水时导致减水减沙的因素不起作用，甚至起反作用。

第二类因素，人类活动。人类生产生活需要用水的增加，这是不可逆转的，今后可能还要再增加。

第三类因素，其他因素。这类因素是钱副主席指出的，而且是我们过去未研究透的。

这样，对黄河的枯水，要分成三类因素研究。就第一类因素而言，我认为黄河流域经过很长的枯水期后，还会转丰。这对我们大有好处，也带来问题，但机遇大于挑战。龙羊峡水库建成以后，从来没有蓄满，而且进库水量不断减少，龙羊峡的上游地广人稀，经济发展用水的增加有限，水量的减少，主要是由于水文情况在变化。这一点，我想是很清楚的，我们就有理由相信今后会转丰。

第二类因素，作为不可逆的那部分，就是人类的用水、耗水，这一耗水量今后还会有增加的要求，也是必然的，但我认为一定要提前进入零增长。因为确实没有水。用水量虽然零增长，经济还可以继续发展，就是依靠节省下来的水维持发展。现在的耗水 80% 用于农业，潜力很大，即使用于工业和生活的，也浪费严重，如果真正能够建设节水农业、节水工业、节水社会，把节约下来的水用到发展上面去，同时改革经济结构和发展模式，则即使用水量不增加，社会经济还可以发展。至少在南水北调工程收效以前，不能增加太多的用水量。西北很多同志对这个说法好像意见很大，认为是坐在办公室里面讲的话，不顾实际情况，不让增加用水讲不过去。这个分歧值得研究，我个人的看法，从大局看，用水量要尽可能早地进入零增长，这是大势所趋。

第三类因素，因其他因素减少的水，这个问题我比较困惑。有几个问题能不能搞得更清楚一点：到底下游来水量的剧减中，有多少是由于上游的生活生产用水的增加引起的，还有多少是其他因素导致的？两者之间的比例是多少？像渭河进入陕西境内的林家村水文站，20 世纪 60 年代、70 年代的来水量都是二十多亿立方米、三十多亿立方米，90 年代只有几亿立方米，为什么水量大幅度地减少？在这段时间降水量减少了多少，完全可以查清。

把降水减少的因素扣掉，其余减少的水量哪里去了，希望能搞清楚。总之，把三种减少的比例弄清楚。

降水量的减少，在今后水文周期转丰后能补回。上游的生产生活用水的增加则不可逆转，希望节约地用，合理地用，早日进入零增长；对生活生产最终需要多少水，能供多少水要有个数，有个基本考虑。最复杂的就是第三类用水或耗水。例如水土保持和生态环境用水，肯定要消耗水资源。我昨天也讲了，这点水一定要消耗的，非付出这个代价不可。这样做究竟是利大还是弊大？我认为要从全局考虑，黄河几千年来，一直将上游黄土输到下游，广大下游平原都是它造成的，但到今天，水土流失不能再无限制发展下去，需要做治理工程了。那付出的代价怎么办？在多沙粗沙区做了治理工程后，可能没有水进入黄河了，但这个地区对黄河产沙的贡献，远大于在水量上的贡献，两者不能比。当然我没有做过仔细的分析，我总感到这点水要用掉。

我昨天为西线调水做了很多宣传工作，今天再说几句。实现西线调水，在黄河源头补进170亿 m³ 的水，是从根本上解决问题的措施。黄河在今后总是极端缺水。不补水，无论怎么搞，总无法同时满足生产和生态的需要。我再重复讲一句，西线调水不是为了开发某个特定灌区，不是为了给某些城镇、工矿供水，主要的目的是为黄河治病，因而这个工程是贯彻国家意志、是一种政府行为，是拯救母亲河的工程，不是开发赢利的工程。在西线调水后，工农业能有所发展，经济效益能增加，有些城镇能多用点水，可以回收一些费用，这些都可以利税形式缴给国家，但难以依靠利润来建西线工程。有人主张成立开发公司筹资贷款搞西线工程，恐怕行不通也不合理。我昨天打了个比方，你母亲病入膏肓，你要搞一个公司筹钱，再上医院诊治，还算计老娘病好后能赚多少钱，怎么还贷，这个太说不过去，至少不是个孝子，连人道主义精神也没有。

从这个大原则出发，我赞成搞西线调水工程。黄河上游有很多水库湖泊可供调蓄，可以灵活调水，在长江汛期多调，枯水期少调或不调，当然调水工程规模要因而增加。水调进黄河以后，不允许任意使用。例如调水进入龙羊峡水库，不能随便发电，调进来的水怎么用，要根据国家的意志，根据黄委的决定才能用。现在我们先给西线工程多做些宣传、科普工作，另一方面，抓紧前期和准备工作。钱副主席讲，现在我们在科技方面已有很大的进步，西线工程也没有什么克服不了的困难。我们要有信心。

我觉得黄河水越来越少，这个是客观现实，但是不是将来就没有大洪水了，防洪问题不严重了，这是两回事。水越来越少，有几种原因，其一是由于水文循环变化，既然是循环变化，就会向丰的方向转变，比如400mm等雨量线可以往南移，往后也可能向北移，没有理由否定这种可能。所以如果由于近期黄河枯水，就认为今后发大洪水的可能性也少了，似无理论根据。在20世纪20年代、30年代，黄河的大水很厉害，几万个流量，一片汪洋，这是实际出现过的情况。现在怎么能不加考虑。当然适当调整一下设计洪峰是可以的，但是不能排除再发生大洪水的可能性。同时，在考虑这种大洪峰时，不一定要有过高的要求，因为毕竟我们现在有了三门峡，有了小浪底，在遇特大洪水时可以充分拦蓄，这些水库拦洪会影响泥沙淤积，库容要损失，但面临稀遇的百年、千年洪峰，就让它拦蓄一下。堤防应按此有相应防御标准，不能过低了。

长江整治与防洪建设

我不是防洪专家,对于长江的防洪建设,我说不到点子上,下面仅就某些问题谈一下自己的看法,供大家参考指正。

第一,长江治理的中心任务是防洪,特别是中下游的防洪问题。这是非常清楚的,希望能够在 21 世纪前 10~20 年内,建立起一个比较完整的、科学的、可靠的综合防洪体系,解决我们的心腹大患。为此,在"十一五"期间要做大量的工作,创造条件,但是要真正解决问题,恐怕要依靠以后更长期的努力。

第二,长江流域幅员辽阔,暴雨和洪水的分布和组成多种多样,与小流域的情况不同。长江防洪有两个特点:一是没有一个措施可以包打天下,任何措施,包括所谓骨干工程、三峡枢纽,它们的作用都是有限的,只有综合治理,把工程措施和非工程措施结合起来,才能够解决。就工程措施来讲,还是那句老话,就是以泄为主,泄、蓄、分并举,三者缺一不可。国家主办的工程,要和大量地方工程结合,这样才能够解决问题。这是第一个特点。第二个特点就是长江的防洪,不可能一蹴而就,而是一项长期的任务,要分步达到目标。但分步目标一定要明确,要能检

注:本文为作者在"长江整治与防洪建设重大工程座谈会"上的发言摘要,2003 年 6 月 29 日。

查，能够看出我们是在步步前进。这样，国家、人民就觉得长江的防洪是有成效的，看得到前景的。不要使人觉得长江防洪是一个无底洞，永远搞不完，永远"防洪形势十分严峻"，甚至好像越搞问题越多，似乎修了三峡枢纽，问题更多了，给国家和人民造成这样的误解是不好的。我们现在要做好解释工作，说明我们如何在一步一步解决问题，肯定每一步所取得的成绩，说明现在正在研究的问题，打算怎么解决，使国家和人民能够看到成绩，看到前景，不是一个无底洞。

由于这是一个长期的任务，要分期实施，所以我们的计划应该是动态的，新的情况、新的问题会不断出现，我们要切实地掌握新情况，发现新问题，研究新措施，科研工作要能够跟上，计划要动态调整，真正做到"与时俱进"。过去一些想法、做法，证明已经不符合新的形势的，就要修改，哪怕是已经定下来的东西，也要通过一定的手续改变，当然这种改变应慎重，但如果确认情况已变化，我认为就应该改变。

第三，20 世纪 90 年代以来，长江的防洪形势已经发生了大的变化，出现了新的形势、新的局面。

(1)三峡大坝 2006 年全线到顶。汛限水位 145m，可以拥有 220 多亿 m^3 的调洪能力。

(2)中下游 8 000 多公里的堤防，特别是 3 600km 的干堤，进行了根本性的除险加固。

(3)平垸行洪，退田还湖，移民建镇，恢复了水面，增加了蓄洪容积。戴定忠同志对这个成绩有点疑虑，我说成绩肯定有，到底多大，真正的效果多少，可再细查，但是工作肯定已经做了。

(4)除了三峡枢纽以外，又修了不少支流上的水库，并进行了水土保持工作。

（5）泥沙的来量减少，江湖关系有了变化，跟 20 世纪 50 年代已经不同。

以上这五条是已经发生的变化，下面几条是今后将要出现的情况。

（6）今后在上游、支流上要修建更多的水库群，形势比我们过去估计的要快得多。比如干流上，金沙江下段的溪洛渡、向家坝已经启动，"十一五"以后，可以陆续建成。白鹤滩、乌东德已经明确由三峡公司开发，金沙江中游的工程也都名花有主，修建的时间为期不会太远，这种速度过去难以想象。支流方面，在雅砻江、大渡河、清江、嘉陵江、乌江以及中游的各条支流上，都将进行开发，修建很多工程，所以在不久的将来，有大量的水库可以建成。

（7）荆江河段将有所冲深，而且不限于荆江，会一直冲到大通。冲刷—平衡—回淤的规律不会变，但是冲刷的时段恐怕比原来估计的要长，即在很长一段时间内，相当长的河段都将冲刷。

（8）最后一点，随着国家经济的发展和人民生活水平的提高，对防洪的要求也会跟过去有所不同。这一点要解释一下，所谓要求的提高，并不指提高防洪标准。对防洪的标准，我认为干流按防御 1954 年洪水考虑已经够了，毕竟 1954 年洪水也是百年一遇性质的稀遇洪水，真能做到就好。我所谓提高防洪的要求是另一性质的问题，那就是不要年年千军万马上堤去抢险，只要维持一支精悍队伍，依照规定有序地运用泄、蓄、分措施就可以了。我们做了那么多工程，还要年年抢险就讲不过去。这方面的要求是应该不断提高的。

上面这八种变化，都是已经实现的，或者即将实现的，它们对长江中下游防洪带来有利的影响，也带来新的问题，但是我觉得，机遇大于挑战，甚至可说机遇远大于挑战，许多过去难以想象的工程，都已经实现了，因此我们有条件抓住机遇，应付挑战，取得新胜利。

我建议长江委根据研究的情况，向国家、人民说明事实，肯定成绩，落实规划，做出承诺。就是说清楚我们将如何一步一步达到防洪标准，减轻防洪负担，使人民能够看到前景。

第四个问题，关于"十一五"或者更长一点时间的工作规划。21 世纪的第一个阶段就是"十一五"，或者包括"十二五"。在这个阶段里面，能不能通过三峡工程和其他有关水库的建成、堤防的除险加固、平垸行洪、退田还湖的实现，以及这段时间内进一步要做的工作，使长江中下游全线达到预定的防洪标准。具体讲就是：①荆江这一段能够保证不发生毁灭性灾害；②沿江全线能够防御 1954 年量级的洪水。

分开来讲，一是荆江河段。由于三峡水库的建成，遭遇特大洪水时荆江河段避免发生毁灭性灾害的目标已经实现。

二是荆江分洪区。荆江分洪区以前动用的机会比较多，三峡水库建成以后，荆江分洪区动用机会降为百年一遇，这要对人民讲清楚，这个目标我们已经达到了。要知道荆江分洪区内现有几十万人，繁荣发达，分洪一次，损失极大。荆江分洪区能不能摘帽？不能摘帽，但使用机会极少。这类分洪区要进行专门的规划和管理，有一些工作还要坚持做好，像进洪退洪工程、安全台、撤退的措施等，这些不能中止，还有可能用到。这些工作做好后，隔几年还要演习一下。因为百年一遇机遇太少，大家容易忘记，要偶尔试试才行。分洪区的人口增长和大型基本建设都要控制，其他的发展似不必限制。真要动用这个分洪区，属于救命性质，容许生产和财产有较大损失。最好实行防洪保险，年年从受益区筹集点基金，累积增值，要分洪了，就进行合理的补偿，这样人家就放心。对荆江地区和荆江分洪区的问题性质，我认为应该讲清楚。

三是城陵矶地区。城陵矶地区必须设置不同标准的分洪区。到底设置哪些分洪区，什么类型的分洪区，特别在洞庭湖范围内怎么搞，要有一个明确的规划：哪些是经常用的，哪些在一般洪水下不用，哪些介乎其间，一定要分清。遇到不同洪水就按规定分序启用，按部就班地进行。对这个问题还没有取得一致的认识，矛盾很大，谁都要保他那块地，工作难点也在这里，但是我认为这个问题无论如何都要解决，不要永远拖下去。

对城陵矶地区另外一个问题就是三峡工程的调洪原则问题。我认为，在新的形势下，三峡水库的运用应考虑按城陵矶调度的可行性。过去基本上不予考虑的原因，是怕遇到1870年量级的洪水时调度库容不够，另外还怕经常拦蓄洪水，三峡水库库容会较快损失。在新的情况下，随着入库泥沙的减少和大量上游及其他水库的兴建，加上预报和调度将更精确和科学，三峡工程似可按城陵矶的调度来考虑，至少溪洛渡投产以后可以考虑了。如果这样，城陵矶地区需要分洪的数量可以削减，需要安排的分洪、蓄洪的工程可以重新安排。

总之，对城陵矶地区，我希望依靠三峡枢纽和其他陆续投产水库的合理调度、洞庭湖地区分洪滞洪区的建设，加上河床的不断刷深（防洪水位可以适当降低），使其防洪标准可以确切抗御1954年洪水，做到湖北、湖南都满意。

四是武汉地区。三峡和上游水库离武汉比较远，所以对武汉的洪水调节作用不像对荆江那样明显，但仍有一定作用。武汉地段的堤防比较可靠，标准较高，如果进一步设置些必要的滞洪区，进一步改善、加固堤防，加上新建水库的作用，再采取一些其他措施，我想武汉地区也能够安全地抗御 1954 年洪水。

五是"十一五"期间的重点工程。重点工程还是大家议论的那些，但是这里还是希望能够再明确一下：

(1)关于分洪区、蓄洪区的建设，要明确加以归类：

a. 罕用的，如荆江分洪区，怎么建设管理，要好好研究安排。

b. 常用的，三五年就要用一次的，这类地区的功能以分洪为主，在非汛期利用土地搞农业生产，不能在里面搞建设，不能办企业、建工程，靠它来发家致富。在汛期必须按照指令弃守。

c. 在两者之间的，要分门别类定出分洪标准，洪水来时，按照命令顺序放弃，不能各自为战，处处保堤防守，影响大局。

(2)关于堤防的除险加固，沿江支流上还有未做的，在"十一五"期内必须完成。

(3)河道整治，主要是保护好三峡清水下泄后首先要冲深的河段。

(4)建好水库，水库建设方兴未艾，包括干流上游水库和所有的支流水库。有些是为灌溉、供水需要开发的，可以结合取得一定防洪库容。对每个水库要实事求是地确定它的防洪库容和调度原则。作为长江流域中的一座水库，要根据流域总规划的要求为长江防洪做贡献，而流域机构则要实事求是地确定每座水库可以提供的有效、合理的防洪库容。而且我建议，在每个工程的规划建设中要考虑一下，遇到特殊情况时，工程能为大局做出什么特殊贡献，就是在紧急时能进行什么特殊调度。国家防总在特殊情况之下，应有权对上游和支流的水库进行特殊调度，大家应该服从大局。其他水土保持和非工程措施，我不再重复了。

六是建议长江委能够组织力量，对长江的防洪形势做深入的调查分析和研究，既要做一些专题研究，也要对整个长江的防洪形势和它的发展趋势做动态的研究，以便从大局上考虑今后的工作。

专题研究要做，比如说三峡水库的调度方式，按荆州市还是城陵矶调度，以及一些专家提出来的具体调度方案(多汛限调度)，都可以研究。再比如说江湖关系变化的规律，还有不清楚、不一致的地方，要进一步研究。荆江河段和城陵矶到汉口河段的冲淤规律和冲淤发展过程，特别是城陵矶到汉口河段，尚未弄清，希望做专题研究，弄得更清楚一些。关于泥沙数量变化的规律，希望也能够加深研究，取得比较一致的看法。对不同类型的分洪区，怎么分类，怎么管理，要专门进行深入的研究。又像大家提的四口建闸，牌洲湾裁弯，这些工程目前不能草率地决定搞，但如果城陵矶到汉口河段确实是刷深了，为什么牌洲湾不能裁弯呢?这肯定对城陵矶有很大的好处。对四口建闸为什么有这么大的分歧? 关键是建闸以后，掌握在什么人手里管理。原来没有闸，长江进洞庭湖的水没法控制，建闸能进行控制。如果确实能做到以大局为重进行科学调度，建闸总是有利的。如果以邻为壑，人家当然不干了。只要解决这个问题，建闸还是可以干的。可以交给一个公正的、代表国家的机构按章操作就可以了。

另一方面，希望长江委对整个长江防洪形势，分阶段地进行研究，比如第一阶段三峡枢纽已建成，其他的大库还没有起来，是个什么情况。第二阶段，其他的大库都起来了，荆江河段开始冲刷，水土保持工作开始发挥效益了，这又是什么情况。如果再说远一点，也可考虑调整改变江湖关系，对洞庭湖进行大疏浚，恢复八百里洞庭湖的面貌，也不是不可以考虑的。

我个人总对长江的问题抱一些乐观的态度，也可能是个人的希望。我希望由于上游和支流水库的大量的建成和科学调度，由于堤防的进一步加固，由于水土保持发挥作用、泥沙下泄的量不断地显著减少，由于河道的不断刷深，由于牌洲湾裁弯和四口建闸的实施，由于全面治理江湖关系和洞庭湖大疏浚，由于预报的精确化、长期化，加上一些非工程措施的实施，长江中下游的防洪面貌会发生比较大的变化，最后走上科学化、制度化的道路，让政府、人民和中央放心，不要每年汛期千军万马上堤，只要有一个精悍的维修队伍就行了，某一水位以下大堤绝对安全，到某一水位提高警戒，超过某一水位开启这个分洪区，涨到什么水位开启那个分洪区，分洪过程中秩序井然，分洪后人民得到合理补偿，做到这样就行了，我相信能够实现。

长江委的新任务和新贡献

2002 年 12 月我参加了水利部科学技术委员会全体会议，听到汪恕诚部长的重要讲话和其他领导的报告。2003 年新春，又能参加这次长江委召开的"贯彻实施新水法暨长江治理开发战略研讨会"，听了索丽生副部长和蔡其华主任的主题发言及专家们的专题报告，得到很大的启发。我在 2002 年的发言中就说过，我深信中国水利建设即将进入新的时期，取得新的成就，登上新的台阶，并感到由衷的欢欣鼓舞。作为一个外行，我不能像其他专家那样做深入的专题发言，仅对 2002 年讲过的话再做些发挥，讲些大道理，以供参考。

一、中国的水利建设进入新的阶段

人类已进入 21 世纪。党的十六大刚刚开过。中国将进入全面建设小康社会的时期。一个拥有十二多亿人口的社会主义大国，实现民族振兴，全面建成小康社会，这将是一件要载入人类社会发展史册的大事。作为中国的水利工程师们，肩负着艰巨光荣的重任，即水利建设要为这一伟大的历史性任务提供支撑和保

注：本文是作者在长江委"贯彻实施新水法暨长江治理开发战略研讨会"上的发言摘要，2003 年 1 月 8 日。

障。据了解，过去 5 年内，仅中央在水利上的投入已达 1 800 亿元，预期今后还会有更大的支持。所以从规模上看，新时期的水利建设将要进入一个新的阶段。

更重要的是建设的性质也不同了。回顾过去五十多年的水利建设，我们确实取得了巨大的、不可磨灭的成就，但也确实有过严重的、毋庸讳言的失误。在新时期里，从深层次上总结过去的得失，提取有益的经验教训以指导今后的工作显得特别重要。和过去的建设相比，新时期的水利建设有什么不同之处呢？我认为归纳成一句话，就是要从过去无序的、短视的、治标的、单纯着眼于经济观点的建设，转变为严格按照科学规划和法律、立足于宏观和长远立场、标本兼治、以治本为主的建设，藉以实现社会、经济、生态环境的全面可持续发展。这是总结了五十多年来正反两方面的经验教训后得到的惟一正确的方针。两次会议中几位领导在讲话、发言和报告中都贯穿了这层意思。我希望在新世纪中进行水利建设时，大家随时随地都要检查我们的工作是否符合正确的建设方针，警惕不要自觉不自觉地又回到老路上去。这是保证我们的工作能遵循党的方针、满足全面建设小康社会的要求、真正贯彻"三个代表"重要思想的基础！

二、新世纪水利建设将取得震惊全球的成就

新时期水利建设的任务无比艰巨，也无比光荣。一幅灿烂光明的宏图正展现在我们面前。我相信，这些任务必能在今后二三十年内胜利完成，中国的水利建设将进一步取得举世瞩目甚至是震惊全球的成就。我们要有信心、有决心为这一神圣任务的完成贡献出一切！

（1）以修堤、清障、建坝、建设分洪区和全面推动水土保持

工作为内容的综合防洪工程体系建设将取得决定性胜利，将从根本上解决大江大河的洪水灾害问题，解除中国人民的心腹大患。

当然，防洪建设也引发了新的矛盾（如三峡工程建成后长江下游河床将会刷深，河势将会变化），绝不能掉以轻心，但机遇远大于挑战，中国水利工程师一定能解决好问题，为子孙万代免除洪灾做出贡献。

(2)以南水北调工程为代表的全国水资源合理配置将付诸实施。南水北调是最大的跨流域调水工程，其他合理、必要、可行的调水工程都将先后启动和收效，以求妥善解决缺水地区的社会、经济发展与生态环境保护问题，为依靠科学技术改变客观现实、做到人与自然和谐共处做出典范。

(3)以淮河流域、渭河流域等严重污染河段治理和全国城镇工矿污水废水治理为代表的水环境治理工作将深入开展和见到实效，扭转我国水环境不断恶化的趋势，恢复神州大地绿水青山、蓝天碧海的秀丽面貌。

(4)黄河将进一步开发与治理。首先做到汪部长提出的"不决口、不断流、不淤高、不污染"的要求，进而通过标本兼治，拦、泄、挖并施，为从根本上改变悬河面貌闯出路子，为人类治水治河做出开创性的贡献。

(5)缺水和环境被破坏的地区，特别是最干旱的西北地区，将通过以水资源合理配置、高效利用为中心的科学开发、治理、保护、调整而大变面貌，再造一个山川秀美的大西北。山川秀美并不意味着把整个西北变成江南，只要沙漠稳定、绿洲环绕、湖泊常盈、河道长流、草深畜肥、人物共休，就是秀美山川。

⋯⋯⋯⋯⋯

还可以举出许多其他的光明前景。这不是神话，也不是梦境，是通过努力确实能实现的事。当然要达到这一目标需长期、艰苦的努力，需要国家和社会的大量投入，还有赖于全国水资源的科学规划、统一管理和信息化、现代化改造的加速实现。

三、长江委的任务

长江委是最大的流域机构，根据新水法，流域机构拥有更多的权力，也负有相应的责任。这也和以前情况有所不同。下面对长江委的工作提些看法。

作为流域机构，要用好国家赋予的权力，并对长江流域的全面保护、治理与开发负起责任。要做到这一点，除了要加深调查研究掌握资料情况外，还必须加强与一切有关部门、地方的沟通和合作，了解他们的思路和要求。要学会尊重别人和虚心听取意见。专业规划要服从流域规划，流域规划要考虑专业要求。长江哺育着半个中国，行行业业都离不开长江。作为流域机构务必要站在高的层次上，从大局、全局出发，团结各界共同工作，这样做，我们的本领才大，眼界才远，才能完成任务。

要把做好长江流域规划作为头等大事。没有科学、全面、深入、可行的规划，保护、治理与开发长江就无从说起。调查研究中要注意问题是动态的、不断变化的，要避免以固定模式和确定论观点看待问题。任何事物都"与时俱进"地变动着，要抓住变化的苗子，注意变化的趋势，研究变化的后果，作相应的调整。长江流域规划的大原则应有一定的稳定性，具体做法则要根据新的情况及时调整。隔一定时间对总规划进行修订，使规划始终符合实际，与时代同步。

长江流域的保护、治理与开发，包括防洪、供水、能源、通航、水产、环保、旅游各个领域，既要有轻重缓急之分，又要全面考虑统筹兼顾。当前第一位任务是巩固 20 世纪的伟大成就，扩大战果，妥善地解决长江干支流的防洪减灾问题，使遭遇各种频率洪水时都有应对措施。现在确有基础可以在不远的将来实现这个目标了。如果今后每年汛期仍要千百万军民上堤抢险，仍要牵动从中央领导到全国人民的心，就说明我们的工作还没有做好。

长江每年有 1 万亿 m³ 的水量。调一些水到北方干旱地区是长江流域不可推卸的责任。跨流域的巨大调水工程是十分复杂的，国际上成功的例子不多，失败的教训不少。所以我们一定要谨慎行事。因调水而引起的负面作用必须研究深、研究透，并予以避免或补偿，但不能作为反对调水的理由。我们要提问题、解决问题，而不是设障。南水北调工程论证研究了几十年，北方人民引领企盼了几十年，最近中央已批准了总规划，并启动了三个分项工程，我们必须借此东风，促使这一伟大工程快速进展。一定要在新时期内实施这个北方人民梦寐以求的工程。

长江干支流蕴藏着全国乃至全球最富集的水能资源，必须积极地按规划开发，为缓解我国能源紧张和生态环境保护做出重要贡献。绝大多数技术、经济上可行的水电资源都将在新时期内得到开发。水能开发与综合利用间的关系很复杂，作为流域机构负有义不容辞的规划、协调、综合的任务，长江委要为此做出关键性的贡献。

长江是黄金水道，干支流的通航里程和规模占全国水运的绝大部分。过去的水利水电开发一定程度上对航运造成影响，但也有其他复杂的因素。我们要和水运部门紧密合作，研究如何在综合开发治理中共同做出贡献以充分发挥水运优势，使长江干支流真正成为交通动脉和黄金水道。

长江不会变成黄河，但不适当的人类活动，确会在一定范围内造成生态灾害，甚至影响全流域。我们一定要把保护和改善生态环境、做到人与自然和谐共处当做一条原则，在这个原则下进行开发，以求社会和经济发展与生态环境的保护充分协调。要像爱护自己的母亲一样爱护长江。在新时期里我们要通过努力务必使长江流域的生态环境有明显的改善。

新世纪的中国能源问题

能源是国家最重要的基础产业之一。能源不仅是国家经济发展的动力，也是衡量综合国力、人民生活水平和国家文明发达程度的标志。中国的能源产业在过去五十多年中取得了举世瞩目的成就，从几乎是空白的起点出发，一跃而为列居世界第二的能源生产和消费大国。强大和充足的能源，成为国民经济迅速发展和人民生活水平不断提高的最重要支撑。但是，按人均计算，中国的耗能水平又极低。例如，以人均商品能源消费计，我国只有 1t 多标准煤(人/年)，仅为世界平均值的一半稍多，是发达国家的 $1/5 \sim 1/6$。在新世纪里，国家对能源有更大需求，能源工业将有更大的发展，但也面临极其严峻的挑战，这是事关全局的重大问题，值得全国人民重视。

一、能源特别是油气资源的短缺是客观现实

中央领导英明地把粮食、水和能源列为制约我国发展的三大关键问题。仔细分析，这三个问题的性质有些不同。人们对粮食和水的需求是有一定限度的，随着科技发展和社会进步，对粮食

注：本文发表于《群言》2003 年第 5 期。

和水需求量的增长逐步降低，最终达到零增长或出现负增长。就中国来讲，只要认真保护耕地，抓紧农业现代化和控制人口，建设节水社会特别是节水农业，并采取必要的调水措施，我们现有的耕地和水资源是能够满足需要的。而能源的情况有些不一样。目前全国的 GDP 超过 10 万亿元，到 2020 年翻两番将达 40 万亿元，到 2050 年将达 80 万亿元或更多，才能达到中等发达国家的水平。即 GDP 需有 4 倍、8 倍乃至 10 倍的增长。虽然能源不会也不可能以同样比例增长，但以 1 倍的增长来支持 GDP 的翻两番总是最低要求吧，而这对中国来说就面临严峻的挑战了。

有人认为中国有煤，不必担心。中国探明的煤储量是有限的。按人均计，更落在世界平均水平以下。受到各种条件的制约（特别是国际上对环境污染的制约），更不可能任意地增长。而且，在可预见的时间内，还不能用煤开汽车、飞机和坦克，存在能源结构上的问题。总之，中国一次能源尤其是油、气战略资源的短缺，是客观现实，不能笼统地用地大物博来加以掩盖。

二、中国的国情更使能源问题严峻化

世界各国都重视能源安全问题，而就中国国情来说，这问题尤为突出，因为中国国情有四大特点：

第一，中国是世界上人口最多的国家，新世纪中将达到 16 亿的高峰。按必要的消耗水平计，中国每年的能源需求量是惊人的，和中小国家完全不同。

第二，中国正在全面建设小康社会，国民经济将在较长时期内以很高速率增长，和已拥有强大能源基础和经济实力的发达国家有根本区别。

第三，中国幅员辽阔，各地区经济发展和资源分布情况很不相同，在能源合理配置、转换和运输上有很大困难。

第四，中国是世界上惟一的社会主义大国，国际反华势力对我国的分化、西化活动从未停止过。如果局势有动荡，必然会利用能源来制裁、欺压我们。

根据上述国情，中国在新世纪里需要生产和消耗巨量的能源，如供需有很大缺口，是难以依靠世界能源市场解决的，也影响国家安全；同样，如不能妥善解决能源结构优化和环保问题，也将面临严重后果。因此，中国在新世纪中面临的能源挑战将是独一无二的。

三、新世纪能源发展之路

面对重要和复杂的能源问题，并没有一个简单的解决方案。出路只能是针对国情、抓住关键、因地制宜、综合解决，而且要动员全民全社会动手，共同为解决能源问题做出贡献。

瞻望前景，新世纪的中国能源发展必须也必将走以下道路。

1. 中国要全面建设节能社会，高效利用能源

目前中国能源的利用效率很低，单位产值的能耗是发达国家的几倍到十几倍，甚至比印度也高得多。社会上浪费能源的情况更比比皆是。前些年能源市场在低水平下供需平衡或稍有宽裕，节能问题更被抛到脑后，还动员人民多用电烧油。这是短视的误导，和整个形势要求相背。

在新世纪中，中国将建成一个全面节能的社会。不仅是从能源的生产、运输、转化上狠抓节约，而是全社会的节约和高效利用。全社会将节约每一滴油、每一块煤、每一度电、每一滴水、每一粒粮食……所有的产品物资中都含有能源啊！通过产业结构调整和科技进步，极大地降低单位产值耗能量，至少达到世界平

均而偏先进的水平。落后的小煤矿、小火电、小油厂，落后的工艺、设备、技术将全面淘汰。这样才能用有限的能源实现 GDP 翻两番和成十倍的增长。

2. 中国将实现煤的清洁利用

在可预见的时间内，中国的一次能源仍将以煤为主，今后动力煤的消耗还将大增。现在中国已是世界上第二燃煤大国，年燃煤十余亿吨，严重污染了大气、地面和水源。所以今后中国必将全力解决以煤的清洁利用为中心的能源污染治理问题。首先采取各种"土"和"洋"的措施，大力减少燃煤引起的硫、氮氧化物的排放量，前者如关闭高硫煤矿、加强原煤洗选、推广采用型煤等，后者如采用循环硫化床和整体煤气化联合循环等新的洁净煤燃烧技术，务必同时满足能源增长和环境保护的要求。

煤的清洁利用是个大问题。必须指出现在很多人对此掉以轻心，只说不做，甚至有些煤矿为了增加"经济效益"，还在原煤中掺加矸石和废料以谋利，这些行为不仅是短视和错误的，也是违法和可耻的。

还应指出，节能和治污往往是密不可分的，大力节能就从根本上减少能源消耗和污染，而采用洁净燃烧技术也极大地提高了能源转化效率。此外，尽量将煤转化为电能，减少、消除小锅炉和煤的直接燃用，也可同时起到高效和减污双重目的。新世纪中，中国的绝大部分动力煤都将在巨型的现代化大电厂中转化为优质的二次电能，中国的火电技术将登上世界高峰。

3. 中国的水能将在新世纪中得到全面开发

中国蕴藏着丰富的水力资源，尤其富集于西南。目前中国的水电装机已达 1 亿 kW，列世界第一，但仍只占可开发量的一小部分。国家已确定大力开发水电、实现西电东送和全国联网的国策，已经出现了世上少有的水电开发高潮。到新世纪中叶，大部分可经济开发的水电都将得到开发，中国将成为世界上头号水电强国。水能和核能、天然气及其他新能源的充分开发利用，有望使煤在一次能源中的比例下降到50%以下。

有人感到水电比重毕竟有限，也有人感到建设水电投入集中，还有淹没、移民、环境等问题不易解决。假定到新世纪中叶，中国共开发了3亿kW水电，年发电1.5万亿kW·h，则占一次能源中的比例也确实有限，但水电是永不枯竭的再生能源，1.5万亿kW·h的水电，替代了每年7.5亿t的原煤，利用100年就是750亿t的惊人数字。水电开发集一次、二次能源建设于一身，还有综合效益，从全局看，经济上是合算的。开发水电确要淹一些地，移一些民，带来一些负面影响，但大水电多位于西南高山深谷之中，其代价和影响相对来讲是很有限的。当然，一切负面影响都应重视和设法减免或补偿，但如以此而反对或阻碍水电开发是因噎废食。

4. 新世纪的中国核电发展

中国的核电建设已经有了发展的基础，但由于经济上、技术上、体制上的原因，进展较慢，至今仍只"适度发展"。显然，中国的科学家和工程师能够掌握核电技术和核电站建设，核电的安全是有保证的，核电的造价是可以降低的，决定今后中国核电发展前景的因素恐怕是对开发核电必要性及急迫性的认识，以及对许多问题的统一认识。

从能源布局来看，在中国东部沿海乃至中部需要建成若干巨大的核电基地，对合理配置电源点，满足东部用电需求，掌握先进的核电开发和建设技术，保持强大的核技术队伍，十分必要，也是国防所需。核电总规模可能达亿千瓦量级。中国一定能成为世界上掌握最先进的核能利用技术的大国之一。

5. 中国将妥善解决油气供需问题

在各种一次能源中，问题最大也最难解决的是油气资源不足。经过 50 年的努力，中国已摘去贫油国帽子，现能够年产原油 1.6 亿 t，成绩巨大。中国肯定还有油气资源有待查明和开发，但蕴藏量和可开发量不能满足需求的剧增，而且缺口不断扩大，是个不争的事实。目前中国已每年进口原油六七千万吨，而今后的年需求量要超过 4 亿 t，这是不可回避的问题。

解决之道仍是依靠综合措施。一曰开源，扩大勘探范围与深度，增加储量和开采量，提高采出率，还要重视稠油、油页岩、煤层气等非常规油气资源的开发利用；二曰节约，每一滴油，每一方气，都要高效利用，杜绝浪费；三曰替代，一切可以用煤、水煤浆、电和任何其他能源替代油气的要坚决替代下来；四曰转化，开发煤和生物质能的液化、气化技术；争取实现商业生产，形成规模，通过替代和转化挑起半壁江山；五曰进口，多元化进口油气资源，积极开发利用国外资源。新世纪中，中国将在所有以上方面取得突破，妥善解决油气供需问题，保持必要的战略储备。

6. 中国将大力研究开发新能源

风能、太阳能、地热等清洁可再生能源，氢能、燃料电池等零污染和可替代石油的能源以及生物质能的现代化利用等新技术，是中国在新世纪中研究开发的重点，并将形成规模生产能力。有的人认为这些新能源的技术复杂，造价及成本高，数量上形不成气候，信心不足。其实，许多新能源在技术上已无不可逾越的障碍，主要是提高转换效率，掌握设备制造技术和降低造价及成本问题，而这些可通过大规模生产而实现，取决于国家的政策和决心。应认识到，这方面的努力代表了能源发展的方向，不能以远水不解近渴而不予重视。

四、科技创新和突破是根本出路

要达到以上各项目标，实现能源的高速和可持续发展，最终出路要依靠科学技术的创新与突破。在新世纪里，中国将在国家的组织导向下，以企业为主体，增加科技投入，推动有目标的科技创新与突破，并掀起一个高潮。重点是：各项节能设备与技术、各种洁净煤利用技术和煤的转化技术、大型巨型水电开发技术、新一代核电和乏燃料处理技术、油气新勘探开发技术、提高油气回采率和非常规油气资源利用技术以及各种新能源的开发利用技术等。在许多领域中，中国将要也必须走在世界前列。中国还应跟踪快堆、核聚变和"可燃冰"等前沿技术，力争取得突破，以求最终解决能源问题。在新世纪前期，特别是在前一二十年内中国将正确布局、增大投入，组织攻关，为以后发展奠定基础，在国际竞争中取得主动。

五、结语

中国要在新世纪中全面建设小康社会，并达到中等发达国家水平，需要巨大的能源支持，面临着能源生产、环境保护和科技发展等各方面的严峻挑战，这种挑战在世界各国中是独一无二的；但也充满着机遇，只要认准方向，抓住重点，政策正确，措施得力，组织管理得法，中国完全可以解决能源问题，并通过这一挑战，使能源的各个领域都有所突破，跃居世界前列。

要达到这一目标绝非易事，需要针对国情，深入调查研究，高瞻远瞩，制定全面规划，统一认识，安排投入，艰苦奋斗，夺取胜利。需要政府、企业和全国各界的不懈努力才能实现。

必须做到开发与节约并重，发展与环保双赢，集中(巨大的现代化能源基地)与分散(风能、太阳能、小水电、农村能源)结合，使各种能源因地制宜地开发配置。要立足于常规能源、常规技术，而又全力向新能源、新技术进军；要立足于国内资源，而又全面开拓国外市场。要确保发展需求，而又狠抓发展后劲，最终依靠科技的创新和突破较彻底地解决能源问题。

中国工程院曾进行过可持续发展能源战略的研究，并于1998年向国务院提出建议，在其前后，有关部门也进行过许多研究，但似都未获重视。最近的几次机构改革，似乎已没有一个权威单位负责对能源问题作全面研究、导向和调控了。我们必须指出，对能源这样影响全局的大事，如放弃政府行为，认为只要引入市场运作，一切问题便能自然解决，把必要的政府规划、导向与调控作为计划经济遗毒来批判，那是极为幼稚和错误的。

我们呼吁大家来关心能源问题，我们也坚信在党中央和国务院的正确领导下，中国人民一定能妥善解决好能源问题，为全面建设小康社会、为中华民族的振兴大业、为世界的和平与生态环境保护做出巨大的贡献!

电力供需不能无止境增长

从浙江缺电说起

2004 年 2 月末，笔者从浙东一个工地乘车回杭州，到达西子湖畔已是黄昏。这天适值周末，想象中西湖周边不知有多少盏华灯灿烂放光，点缀这人间天堂。然而迎接我们的却是一片阴暗，仅有的几盏路灯也暗淡少光。住下后，翻了一下当天晚报，赫然入目的是披露了一些"违章用电"的消息，也不知将对这些"违章户"处以什么惩罚。浙江缺电的严重情况立刻印入脑中，后来进一步了解到问题的严重性。

浙江省是我国经济最发达的省份之一。2003 年全省实现生产总值 9 200 亿元，居全国第四位，比 2002 年增长 14%，增速居华东第一、全国第三。但浙江省在发展中存在困难，其中能源资源匮乏是主要问题之一，尤以电力短缺为甚，后果也最严重。尽管 2003 年全省装机达 1 700 万 kW，发电近 1 000 亿 kW·h，外购电量达 283 亿 kW·h，全省仍累计拉闸限电达 35.85 万条次，

注：本文发表于《群言》2004 年第 8 期。

电力负荷供需缺口超过 200 万 kW，预计 2004 年缺口 340 万 kW，电量缺口 200 亿 kW·h。企业开四停三或半夜上班，在大热天不让开空调，人们苦不堪言。在这种形势下，建立电力市场，实施竞价上网也成为一句空话。

浙江是这样，全国电力发展的速度同样很快，缺电同样严重。根据初步统计，2003 年全国发电装机容量达到 38 450 万 kW，同比增长 7.8%，全国发电量总计 19 080 亿 kW·h，同比增长 15.3%，多数省、区仍严重缺电。2004 年用电更为紧张。测算 2010 年全国装机要达到 6 亿 kW，发电量 2.8 万亿 kW·h，2020 年将分别达到 9.5 亿 kW 和 4.6 万亿 kW·h，成为世界上电力发展最快的国家。现在中国一年中开工的发电容量，相当于一个中等国家的全国容量，规划虽激动人心，但也使人产生一些疑问。2003 年全国 GDP 增长约 9.1%，电力消费量却增长了 15.4%，为什么弹性系数远大于 1？这样的高速增长能维持多久？今后天文数字般的电力需求从何处取得？电力供应是不是能无止境增长还是应该"以供定需"？从能源角度看中国应建成什么样的社会？如何正确地对待电力这个行业和电力这种商品？如何解决好政府调控与市场经济间的关系？等等，都是关系国家发展的大问题，也是笔者多年以来担心、呼吁以及各级政府越来越关注的问题。

电力发展中的政府调控和市场行为

——电力发展是战略性问题，政府必须介入

中国目前是世界上第二大能源消费国，而且还要高速增长几十年。从宏观上看，今后能源包括电力的短缺是个长期趋势，而且国内各地区的资源分布不均，还有一个全国资源合理配置和长距离输电问题。其实，电力发展中的问题还远远不限于数量上的短缺与平衡问题，而牵涉到更广泛的层面。电力不是普通商品，它需要实时平衡，需要垄断经营，是各种生产活动的基本动力，对人民对社会来讲是种公益性事业，电力短缺会影响国家经济发展的全局，还会引起社会的不稳定和人民的不满，电力结构的不合理，更会严重影响生态环境和国家安全! 电力行业的这种性质决定了它不能是单纯追求经济效益的一般性企业，必须置于政府的介入和控制监管之下；同样也决定了电力发展中的各种问题，不能单纯依靠市场行为来解决，市场行为注定是追逐最大的短期和局部利润的，在电力体制改革中引入市场经济机制只能利用它的有利作用，企图完全依靠市场行为来解决影响深远、关系复杂的电力问题，必将以失败而告终，给国家带来灾难。世界上也没有哪一个国家(包括市场经济最成熟的资本主义国家)的政府对电力是放任不管的。现在全国电力形势的任何变化，都牵动国务院领导的心，及时批示，就是最好的说明。那种认为只要把电力推向市场，问题就自然可以解决，政府要抽身出来，尽量少介入的想法，至少对中国当前的国情来讲，不仅是错误的，也是十分有害的。

——电力建设要有序进行，不能大起大落

电力不能大量存储，供需必须维持实时平衡。发电、输电、供电能力，必须具有备用和安全余地，这种特性又是其他任何商品不具有的。因此，电力建设切忌大起大落，全国的电力发展应该有序进行，始终使电力发展稍稍超前于合理的消费需求。当然实际上不可能绝对做到这一点，因此电力建设计划必须是动态的，政府必须随时掌握情况，进行调控，力求做到避免大起大落。

有些同志把近年来发生的电力供需失衡问题统统归咎于规划和计划，认为规划、计划制定得再好，也不可能符合实际情况，按规划建设，由国家审批，是发生一切问题的根源，从而要求"完全放开"，似乎只要这样做问题就解决了。说来说去还是把电力当农贸市场上的西红柿看待了。姑且不讲"完全放开"后，将会对恶化电源结构起多坏影响，至少必然会带来严重的大起大落现象。建设一座大型火电站包括前期工作要好多年，开发和落实煤源需要更长的时间，建设大型核电、水电为期就更长了，能够不要规划、不要计划、不要审批，放任自流吗？我们可以指责过去的规划工作有失误，但不能说问题就出在按规划发展上。如何使电力供应既满足发展需要，又避免大起大落；既体现国家意志和全局最大利益，又避免计划经济时代僵硬死板做法，是一个值得深入研究和改进的复杂问题，也是我们的努力方向。

——电力建设必须因地制宜、合理配置

中国幅员广阔，能源资源分布极不均匀，各省（市、区）情况迥异，除要根据各自的条件进行规划，因地制宜地建设火电、水电、核电外，更要由国家在全国范围内进行统筹平衡，使各类电源合理布局，优化配置，通过强大的电网跨区供电和调度，相互补偿，才能发挥全局最佳效益。这决不是由个别地区、个别电源开发集团或电网经营企业能做到的，放任自流，只会形成一哄而上、无序、盲目和排他性的竞争，严重损害国家最高利益和长远利益。从电源、电网的优化配置来讲，政府也非介入不可，政府介入正是要矫正上述弊病。

——电网和电源建设必须配套

目前的电网是随着大型电站的建设而逐步形成的，结构不尽合理，安全稳定性欠佳，应付各种意外情况的能力不强。今后电力容量还将成倍增长，由多种电源组成，还要适应改革深化后带来的潮流变化，电网的合理规划、研究和配套建设改造的任务很重。

——政府的调控问题

综上所述，电力的特性决定了电力发展不能大起大落，电源必须因地制宜、合理配置和全国统筹调配。电力不同于一般商品，因而电力发展不能单纯依靠市场行为，必须有政府的介入、干预和监管。我们把这些政府行为简称为政府调控。针对中国当前国情，政府应该如何实施调控，我认为要明确三个问题：

一是谁来代表政府？以前国务院内设有电力部，统管电力行业从规划、设计、建设、生产、运行、售电、监管和财务的全过程，也对发生的一切问题负责。这种体制落后，已被否定，但总算有个主管部门。改革后，电力部撤销，分解为发电、电网和辅助企业三大块，十多个集团公司，还有一些独立发电公司，没有行政职能，谁也不能从整体、全局上考虑问题，上面则分为发改委、电监委和国资委三驾马车各司其职。现在全面缺电，今后可能出其他问题，也不知道是谁家责任？对于事关大局的电力问题，国家应该有个权威性的部门来主管、操心和负责，行使政府职能为妥，例如把这个责任明令赋予电监委或发改委，很多同志都有类似建议。

二是政府调控的目的是什么？应该是保证电力能健康稳定发展，在满足国家的长远、全局利益和可持续发展的前提下，向生产部门和社会、人民生活提供充足、优质、廉价的电力。上述的"前提"包括很多内容，如资源的合理配置、高效利用、生态环境的保护、国家安全的考虑和科学技术的发展等。

三是政府以什么方式实行调控？建议抓"规划"、"政策"和"监管"三项。首先是抓规划这个主题，国家要全面掌握分析形势，研究制定电力发展的综合规划与实施计划，作为国家意志与要求。任何企业的活动要符合国家要求。规划、计划的制定当然要慎重和民主，当然要不断调整更新，但应该有其严肃性，是具有指导乃至约束性的文件。其次，要制定各种科学合理的政策、条例、规定、措施，包括电价政策，来引导、规范、甚至强迫企业的行为符合国家的规划与意志。最后就依靠监管和审批，对企业行为不符合要求的进行监察、管理与纠正。

电力是否能以需定供，中国要建成什么样的社会

——电力能无止境地供应吗

中国的能源和电力供需形势究竟如何？20世纪90年代，笔者曾在中国工程院主持过一个中国能源可持续发展战略研究，当时展望到2050年全国一次能源总消耗量要达30亿 t 标煤以上，那时就感到难以平衡。最近工程院的咨询研究认为2020年就需34亿 t 标煤，还不计农村使用的生物质能，2050年估计需50亿 t 标煤，再以后的事就不说了。能源、电力真能这样无止境地增长吗？我认为答案是否定的。因为国内的资源难以满足要求，也不可能向国外取得，生态环境也不容许这么耗用。如无科技上的大突破，每年消耗30多亿 t 标煤，即使不是最终的极限供应量，可能也相差不多了，只能按这点家底考虑问题。

有人认为这是杞人忧天，因为随着科技进步，能源会不断发现，人们将掌握核聚变，利用甲烷水合物和太阳能，甚至可以上月球采取氦。我承认这些在将来都会实现，但中国的能源短缺是在今后不久就要出现的事。人无远虑必有近忧，有许多事现在不考虑、不启动，是要造成历史性失误的。

——调整产业、产品结构是必由之路

同样是一万元产值，如果是由电解铝贡献的或是由软件行业贡献的，所耗能量有天壤之别。中国今后的经济增长应主要依靠

发展低耗能、低污染、高科技含量、高产值的高级产品、产业，这就是所谓结构性调整和节能。中国的经济结构必须坚决地朝这个方向调整转轨，才是解决能源和电力供应问题的一条出路。第一，中国必须走新型工业化道路，高耗能、高耗资源、高污染、低品位、低产值的产品产业必须压下来，结构调整的大方向不能动摇，不能拖延，要千方百计加快启动；第二，在同一产业中，调整产品结构也有巨大节能节电潜力。例如我国钢铁产量世界第一，还在发展，但都是常规产品，特殊钢、高级钢仍要大量进口，这两者的单价相差是巨大的，能不能下决心攻坚，把它颠倒过来，出口高级钢，进口普通钢，用电量就减下来了。

——提高用电效率势在必行

中国目前的能效比之国际先进水平有很大差距，生产单位GDP 所需的能耗很高，有的资料认为比世界平均值高 3 ~ 5 倍（比先进水平甚至高 10 倍以上），节能空间至少有 20% ~ 50%。国家要组织各行业，研究国际上同类产品的先进能耗指标，进行对比，找出差距，分析原因，落实措施，限期改进，把用于外延式的投资转用于产品升级和企业改造。改革落后的工艺、设备、流程，赶上先进水平，使每千瓦时的电能生产最多的产品。国家应督促各行业各部门，制定出对能效的最低要求和争取目标，达不到最低要求的要采取行政和经济手段惩处，使节电成为一个硬任务。还要全力推广节能产品，有分析说，如果全国照明采用节电灯管，其效益相当于两座三峡电厂。政府如能把开发节能产品作为大事来抓，给政策、给投入、定指标，大力扶植，做到经济耐用，是大有可为的，比多建几个电站好得多。

——人民生活用电要适度消费

节电并不是限制人民生活用电，或无根据地遏制人均用电量的增长，而是提倡科学用电、高效用电，反对浪费，在保障人民生活水平提高的同时，最大限度地降低用电量。2000年以来，连续四年我国电力弹性系数都大于1。2003年全国GDP增长9.1%，用电量增长了15.4%，这是不正常的，也是难以为继的，建议进行调查、剖析和纠正。通过结构性节电、技术性节电和人民生活节电，把电力弹性系数降到远小于1，而且争取持续降低。

节电是全民全社会的事，只有全民动手，才能奏效。节电是广义的，不仅指节约用电本身，更指节约每粒粮食、每滴水、每件产品，因为这里都含有电或能源。搞节电要有政策和措施，特别是利用经济杠杆，但更重要的是通过长期不懈的教育引导，使节约观念深入人心，使节约成为每个人的自觉行动，成为做人的基本准则，把浪费视为一种耻辱，为全社会所唾弃。

正确对待应急措施与长远目标间的关系

当前全国在电力极端紧张的情况下，采取了不少应急措施，为平衡供需、保证电网稳定安全，起了重要作用。我认为这些措施多是合理的，应该长期坚持下去，但也有些是不得已的应急手段，并不符合社会发展的方向，或从长期来看是不合适的，应随着发展而淡化中止，对此应有一正确的认识。下面只分析三个问题。

——拉闸限电不能当做灵丹妙药

现在很多地区依靠拉闸限电来维持"供需平衡"和保证电网安全。拉闸限电成为家常便饭，成为居民生活中的一部分，成为工矿企业最头痛的事。很显然，今后必须通过建设和节约，做到总体上平衡，才是出路，不能总是动用拉闸限电来解决问题。

当然，在电网发生意外紧急情况时，为保电网整体稳定，自动解列和依序拉掉一部分负荷是正常的，能为人民理解和接受的，而且这大多是自动操作的。我们说的并不是这类问题，而指由于电力供需不平衡，把电力用户分类分地区排队，超负荷时就限电和拉闸。在电力不足的客观现实下，不得不这么做，但至少应做到有序、有计划和提前通知，并且应开些通气会、听证会取得用户谅解。那种毫无预告，随时、随地、随意限电拉闸的做法是错误的，是应该纠正的。

还有一种情况是电量总体上不缺，但在高峰时容量不足或由于线路问题而拉闸限电，这更应由电网企业负责解决。

总之，对人民正常用电需求限电拉闸是不得已之举，实际上反映了政府和电力企业的"失职"，是对不起人民的。政府和电力企业千万不要认为自己有理由、有权力拉闸，把它当做灵丹妙药长期使用下去。

——鼓励用户自备小电源的做法不可行

在浙江的一些县市里，由于电力供需矛盾突出，大街上摆满一台台柴油发电机，拖着一根电缆进屋作为自备电源。这不是解决办法。小柴油机效率低、污染大、不安全、不文明。除非结合科技进展，出现高效率、低污染的分散电源，原始落后的小电源不能提倡，必须通过电力和电网的正常发展，消除这种落后方式。但是如果电力建设和节电不能到位，很难解决这个问题，靠行政取缔是行不通的。

除了小柴油机外，一些大企业有自备电源，有的还向附近送电，形成小网。当然，多数是上网的，但基本上自产自用或定向供电，只利用电网作为输电通道和备用补充，不由电网调度。

即使是较大企业，其自备电厂的容量和单机容量总是有限的，不可能达到最先进的水平。因此，同样存在浪费资源和加剧污染的问题，而这些社会性的问题，企业是不会加以考虑的。和小柴油机不同，这些自备电厂还有一个与电网的关系问题。电力是社会公益性事业，要照顾弱势群体和行业，要扼制和降低环境污染，要设置很大容量的应急备用机组，要改造农村和城市电网和缴纳税金、基金。自备电厂则完全脱离在外，不负责任也不承担义务，不考虑这些因素，光指责电网供电价比自备厂高，显然是不公平的。

在电力短缺情况下，应该欢迎大企业建立自备电源并上网运行，做到两利，但建议国家对自备电厂的要求和政策应有明确规定，自备电厂上网运行应与电网签订合理的合同，做到公平、公正和两利。

——日负荷率是不是愈高愈好

2003年浙江省为降低峰谷差，采用多项措施，加强"需求侧管理"工作，收到显著效果，甚至使统调电的日负荷率达到0.976的空前水平。全国各电网也为降低峰谷差做了大量努力，需求侧管理成为解决高峰期供需矛盾的重要措施之一。成绩很大，但也有值得深思的地方。

总的讲，需求侧管理是个长期战略，目前尤其急需，在政府推动、电网调控、用户积极配合下，可以达到节电削峰的作用，目前采取的许多措施也是合理的，应长期坚持，例如将峰谷电价合理拉开；将供电按所要求的可靠性分别对待；对用户按重要性分级，大力推广节电技术和产品，给予补贴，企业在轮休、检修等方面积极配合，千方百计错峰避峰等。这些既要靠技术措施、经济杠杆，也要辅以行政手段。

但是对于接近于1的日负荷率，我总感到不妥。浙江的电网在这个负荷率下运行，意味着无峰、无谷、无备用，机组在过高利用小时数下运行(据说许多机组已超过 7 000 小时)，此外付出的代价是人们为了经济考虑和迫于行政规定不得不违反意愿改变生活习惯，昼夜颠倒，其他间接损失，如商店停业、企业减产、外资裹足、必要的景观灯彩也都熄灭等难以计算。这是不能持久、也违反自然的，上点纲讲是违反"三个代表"重要思想和"以人为本"原则的。我们设身处地想一下，如果为了电的问题，要求我们一辈子在半夜办公，在大白天休息，我们会有什么感受?因此，错峰避峰和各项需求侧管理措施应该合理，政府和电网除了管用电的数量和时间外，更应管一管用电的效率和产值。日负荷率的提高应保持在合理范围之内，政府和电力企业应该与用户见面沟通，取得理解，尽量依靠技术手段和节电教育，其次依靠经济杠杆，少用垄断和行政手段，还应向社会作出承诺，要不断改进，修建蓄能电站，满足用户的合理需求。对某些受到损失的用户应进行合理补偿，这才是正确公正的做法，也体现了"人民电业为人民"的精神。

暂时措施与长远目标间的矛盾远远不止这些，实际上，如果我们从长远着想，要采取一些步骤改变当前局面时，往往都会和现实发生矛盾：或影响发展速度，或减少财政收入，或增加就业难度，或不能为人们理解，当然更看不到政绩，所以有些事也只能逐步推行，但是我认为大的方向一定要看准，速度可以慢一些，道路却不能走错，这样不会犯历史性的失误，也终究会得到人民的理解和历史的认可。

关于加速发展我国核电的建议

进入 21 世纪后，我国国民经济持续高速发展，作为基础的电力也必须相应增长。据有关方面测算，到 2020 年，全国电力总装机将由目前的 3.5 亿 kW 增长到 9.5 亿 kW 左右。为保证我国经济实力和综合国力的增长和强大，这是必须达到的目标。

我国一次能源以煤为主，电力也以燃煤发电为主。由于受到采掘、运输、特别是环保条件的制约，煤电不能无限制地增长，除加速开发水电外，宜在战略高度上作全面安排。尤其对于经济发展最快的东部沿海地区，能源匮乏，不能只依靠远距离输煤、输气、输电或购买油气发电来支持经济增长。加快发展核电已势在必行，为当务之急。

核电的发展，虽受到西方一些人士的反对，但客观分析和半个世纪的实践证实，只要采用成熟的技术，按照严格的要求建设和运行，核电是安全、可靠、高效、经济和清洁的能源，我们不拟重复阐述。中国目前核电造价较高，是有原因和可以降低的，总之，中国不是要不要发展核电，而是如何加快发展的问题。

我国核电工业的启动，已有近 20 年历史。由于各种因素，

注：本文为郑健超、周小谦同志和作者向国务院领导写的意见书，作者起草，2003 年 6 月。

发展较慢，到目前为止，建成的仅 500 多万 kW，占全国装机的 1.5%，包括在建的也不过 800 多万 kW，与形势的要求实在相差太远。最近国家决策要在"十五"期间启动四台百万千瓦级的核电建设项目，十分正确和及时，可以说，现在到了核电发展的转折点和关键时刻。能否抓住机遇，确定正确的发展方向和技术路线，建立合理的机构和体制，不仅关系到能否顺利建成新项目，而且决定了我国核电能否真正走上四个自主化道路和保持长期快速增长。再错过这个机会，将造成无可补偿的历史失误。为此，我们谨就个人所见，提出一些分析和建议，供决策时参考。

我国核电发展现状与问题

我国从秦山一期开始到现在，已拥有 6 个不同容量、不同堆型的核电站(秦山一期 30 万 kW、秦山二期 2×60 万 kW、秦山三期 2×72.6 万 kW、大亚湾 2×94.5 万 kW、岭澳 2×94.5 万 kW 和田湾 2×100 万 kW)。其中秦山一期、二期由我国自行设计、建设和采购；大亚湾和岭澳为利用欧洲(法国)技术的压水堆百万千瓦级机组；田湾则引进俄国的 VVER 技术机组；秦山三期为完全不同于轻水堆的加拿大重水堆机组。应该说，我国在不到 20 年的时间里，有了相当规模的发展，在核电设计、建设、安装、运行方面积累了宝贵的经验，在与外国合作和技术转让方面取得了可观的成绩，不少领域达到西方 20 世纪 80 年代的水平，培养了一批设计、制造、建设与运行管理的基本力量，为今后的发展准备了条件。

但这阶段的发展也存在不足和问题。主要是：由于缺乏长远规划和宏观调控，11 台机组的规模、堆型和技术路线不一，现有的经验是各参与方通过建设具体项目取得的，并非通过统一合理的体系和科学的管理机制取得的，因而是分散和不完整的，掌握在不同的参与部门里，不能形成独立的、完整的(从设计、建设、制造到运行)体系和力量。其次，各方对一些问题的看法存在分歧，大体讲，各方对我国发展核电的必要性和急迫性以及对今后发展百万千瓦级的压水堆机组的看法一致，而对技术方向和技术路线有不同认识。显然，如果这些问题不解决，认识不一致，体制不调整，中国的核电很难形成自己的体系，更谈不上实现定型化、国产化和批量化，也无法降低核电的造价和发电成本，在市场机制下是没有竞争力的，不可能实现核电的顺利快速发展。

我国发展核电的基本方向

我们认为，根据中国的国情和需求，发展核电的基本方向是：第一，强调安全可靠，即采用的核电技术应该是成熟的，确能保证安全可靠；第二，强调经济性，即采用的核电技术、发展方式与发展速度必须带来低成本和低电价，使核电在电力市场上有竞争力；第三，强调与中国国情相适应(适用性和相对先进性)。所谓国情，包括中国的经济实力、中国已掌握的技术和经验以及中国发展核电的紧迫性。在这里，我们对先进性的提法称为"相对先进"，因为技术发展是无止境的，目标是可以分步达到的，只要能满足上述安全、经济、适用三大要求，技术上又属于当前国际水平，且能促进我国核电尽快发展，促进我国核电的设计、制造、建设、运行迅速成熟自主，就是最优选择方案。否则，眼高手低，举棋不定，终将贻误时机。

根据目前条件，中国要独立完成大型核电的科研、设计、制造、建设和管理还有困难，需要继续对外合作，建议按上述原则进行国际招标，选择对我国最有利和安全的合作伙伴。

中国发展核电的体制、模式与机制

要研究我国的核电建设体制可先考察外国的做法。目前世界上掌握成熟核电技术的国家不外乎美国、欧洲（以法国为代表）、俄罗斯（苏联）和日本等。由于核电对国家安全和保障能源供应的极端重要性，各国政府都对核电的发展方向、技术路线和标准实行控制，并不放任自流。但核电又是巨大的发电企业，投入集中，回收可靠，除俄罗斯实行计划经济体制外，都通过市场来实施，即由业主承建和运行，通过引入竞争机制和国际合作来降低成本和加快发展。

在具体实施模式上，除俄罗斯外，外国的业主基本上采用委托"总体工程师集团（AE公司）"负责的做法。所谓"AE公司"就是掌握核电从设计、招标、采购、施工监理、设备监造到运行期的技术支持整套技术的公司。经业主选定后，AE公司从头至尾为业主服务和负责，并要负责实现国家的核电政策和路线。当然，国情不同，AE公司的性质也不同。美国是核电技术发源地，它有两类AE公司，一类是独立的大咨询公司（如 Bechtel 公司），一类是设备制造公司（如西屋公司）。AE公司与业主的关系一般都采取一揽子承包方式。德国、英国的AE公司也掌握在设备制造商手里。一般来说，这样做不可能使核电的造价和成本降到最低，但可取得较快的发展速度。

法国的情况有些不同。法国的核电起步较迟，其技术是向美国西屋公司购买的，法国又决策将核电作为主要电源，实施国产化，所以由国家性质的法国电力公司（EDF）承担 AE 公司职责，为业主和运行公司服务，又贯彻国家意图。从购买技术到全部国产化只用了 15 年时间，就建立了一个真正属于其民族的核电工业体系，标准化水平也是最高的，使核电成为法国主要电源，电价很低，取得极大成功。目前韩国似乎也拟向这个方向发展。

我国也需引进核电技术，并迅速建立自己的核电工业体系，显然不能依靠外国的设备制造商或咨询公司提供一揽子服务。如由国内若干咨询公司(设计院)、监理公司、制造商分别或联合提供服务也存在很多问题，看来由国家来组建贯彻国家意志和为业主提供全程服务的 AE 公司可能是一个好的选择。

此外，目前我国的核工业军民不分、政企不分，核电方面由一个总公司统揽从核燃料勘探开采、核电站设计建造运行直到废料处理全过程的体制也是违背潮流的，需要改革。

几条建议

(1)国家成立核电领导组及办公室，负责制定、批准核电发展的规划、计划，技术方向和路线，体制改革和相应的政策与措施。对核电的发展进行规范、监督和检查。决定的事项有关方必须遵照执行。

(2)明确我国核电发展的方向和技术路线：以自力更生为主，进行有利的国际合作，集中力量开发百万千瓦级压水堆机组，做到安全、经济、适用和相对先进，大力促进我国核电工业的发展与成熟。

(3)明确到 2020 年核电发展的目标为：总规模达 4 000 万kW 左右，使核电在全部电源中达到 4%～5% 的比例，即除在建者外，新增 30 多台百万千瓦级机组。这样，通过定型化、批量化、国产化的生产，使核电电价能与脱硫的煤电竞争，同时建立起我国自主的、完整的核电工业体系。

(4)按照军民分开、政企分开的原则,改革核工业体制。军用核关系国防科技发展和国家安全大局,由国防科工委领导,政府全面支持。核电应转入市场体系,其中政府职能部分转到国家核电领导组及办公室,具体业务部门分组为核电总体工程公司、核燃料公司和各核电发电公司,引入竞争机制,按市场规律办事。

请不要把水电排斥在可再生能源之外

我们看到《中华人民共和国可再生能源法(草案)》(以下简称《草案》)以及《毛如柏同志为该草案所作的说明》(以下简称《说明》)。为了促进可再生能源的开发利用，缓解能源供应和环保危机，制定这一法律极为重要和及时。但经反复研究，我们认为《草案》中将大中型水电排除在可再生能源法之外，不符合立法原意和国情，将导致不利后果，心以为危，特将我们的意见历陈如下，敬请中央能予以关注。

一、将大中型水电排除在可再生能源法之外，违背了立法原意，不符合国情，不利于解决我国能源危机问题

(1)我国能源的最大危机有二：一是一次能源以煤为主，燃煤产生的环境污染问题日益恶化，并将面临国际制约，必须尽一切可能予以控制；二是能源资源不足，要采取有效措施增产能源，保证能源安全。制定可再生能源法，目的正是要解决或缓解这两大问题。

(2)到目前为止，在各种可再生能源中，只有大型水电能够

注：本文系张光斗、潘家铮等 24 位院士、专家致国家领导人的呼吁书，由作者起草，2005 年 2 月 5 日。

大规模开发利用，提供稳定的、电网能直接吸纳的可再生清洁能源，成为煤、油、气、核以外的重要可靠能源。我国又拥有最丰富的水力资源，据最新调查成果，技术可开发容量达 5.4 亿 kW（其中大中型水电为 4.75 亿 kW），年发电量达 2.5 万亿 kW·h，如全部利用，可替代 12.5 亿 t/年原煤的燃烧。风能、太阳能等当然应该大力鼓励开发，但在一定时期内难以形成规模（就是发达国家也做不到），希望立法时能实事求是注意到这一现实。

(3)根据以上情况，在《草案》中排除大中型水电后，可再生能源在能源总量中所占比例将非常有限，对解决我国能源问题难起显著作用，违反了立法原意，不符合国情。

二、《说明》中对排除大中型水电的理由不科学，缺乏根据，与中央的能源政策不符

在《说明》中，对排除大中型水电的理由有以下提法："考虑到大中型水电技术已经成熟，完全实现了商业化。因此，国家有关部门参照国际经验，将电站装机容量在 5 万 kW 以下的水力发电确定为小水电，实行与风能、太阳能等可再生能源类似的政策。《草案》确认了这一规定。"对此，我们有以下困惑：

(1)按照这一说明，这个法案似应称为"技术不成熟的可再生能源法"？

(2)"大中型水电技术已经成熟"，我们难以理解小水电为什么技术不成熟?情况恰恰相反，小水电开发不存在技术困难，而我国今后要开发大水电地理位置遥远，各种条件很差，技术困难越来越多、越来越复杂，有不少工程的规模和难度超过三峡工程和当前国际水平，需要国家组织攻关，难以"商业化"解决。

(3)"大中型水电完全实现了商业化"，由于大水电集一次、

二次能源开发于一体，其投入之集中，工期之长，牵涉面之广，无法和建燃煤电厂相竞争。特别是今后各界对大水电开发的要求愈来愈高，制约愈来愈多，困难和投入越来越大，急需国家的政策支持。外国在开发大水电时，无不得到国家的大力扶植才得以实现。

(4)将5万kW以下的水电划为小水电，是水电部(电力部、水利部)制定的，划分的原因是大小水电开发对前期工作的深度和各种技术要求(如建筑物的安全要求)有区别。现在以此将水电划分为享受或不享受可再生能源政策的分界，缺乏任何科学根据，国家也从无这种政策规定。国家近年昭示的能源政策都是将"优先开发水电"列在首位。

(5)一些后工业化国家的水能资源早已得到高度开发，一般达70%甚至更高，有的国家并无丰富水力能源，其可再生能源政策针对小水电、风能、太阳能而制定是可以理解的。我国国情完全不同，到2004年止，仅开发利用了3 000亿kW·h/年，潜力极大，不能照抄所谓的"国际经验"。

三、将大中型水电包括在可再生能源法之内，并无不妥影响，而对缓解我国能源危机可起重要作用

我国能源危机空前严峻，尽快开发利用多达5亿kW的水能资源是解决危机的重要措施之一。中央正确地制定"优先开发水电"的政策，取得了显著成效。但是，今后开发水电面临越来越多的制约和困难：超过国际水平的技术难度、超远距离的输电问题，越来越高的生态环境要求，愈来愈沉重的移民及淹没补偿问题。目前一些政策也不利于水电的开发(例如增值税)，开发大水电还会影响到全国电网包括特高压电网的布局，这一切都需要国

家层次的决策和协调。将大水电排除在可再生能源以外，是向社会发出一个错误信号，将大大挫伤开发水电的积极性，堵住了国家采取扶植政策的路子，促使人们有意将水能资源划分为 5 万 kW 的小工程作径流式开发，后果是严重的。

目前在竞争形势下，水电开发形势良好，这只是表面、暂时的现象。从取得企业经济效益来讲，开发大水电所需投入大，工期长，与电网关系紧密，牵涉面广，问题复杂困难，不存在"商业化竞争优势"（兴建一座燃煤电厂，一般两年甚至更短时间即可投产收益）。没有国家高瞻远瞩的大力扶植，在遇到一系列困难挫折后，水电建设可能出现大的"马鞍形"趋势，给国家造成不可挽回的损失。

因此，我们殷切建议可再生能源法中应包括全部水电，这是科学的、合理的、符合国情的做法。只有这样，才能对可再生能源总量目标与发展规划有一个符合实际的估计，才能对缓解我国能源危机起到作用。如果认为水电开发在技术上比风能、太阳能相对成熟，则《草案》中已规定上网电价等问题将由国务院价格主管部门分别测算确定，作为一部反映国家支持可再生能源开发意图的总法案，列入水电并无任何不妥。

水 电 与 中 国

一、中国到底有多少水电资源

中国地势西高东低。主要河流发源于世界屋脊的青藏高原，奔流入海，蕴藏着得天独厚的水能资源。中国到底有多少水电资源可以开发，随着普查的深入，数据不断更新。过去有两个数据经常为人引用，即：全国技术可开发的容量为 3.78 亿 kW，年发电量为 1.92 万亿 kW·h。经过最近的大复查，较可靠的数字是：我国大陆部分水电的理论蕴藏容量为 6.944 亿 kW，年发电量 6.082 9 万亿 kW·h（按 8 760 个运行小时计），其中技术可开发容量为 5.416 亿 kW，年发电量为 2.474 万亿 kW·h，列世界之冠。

这次调查统计工作做得很仔细。首先查清 13 个"水电基地"的资源。所谓"水电基地"是指在水电资源富集的流域或地区内，划出开发条件最现实的干流河段（一般为中、下游河段）和部分支流段，根据查勘规划资料，布置梯级，确定各枢纽的容量和电量，加以统计。这是我国水电资源中最主要的组成部分。第二部分是上述流域、地区在"基地"范围以外的上游、支流中

注：本文发表于《水力发电》2004 年第 12 期。

所蕴藏的资源，以及其他流域、地区内的资源，第三则是遍布全国的小水电。三者合计得到全国总数。水电资源暴露在地表，可以眼见耳闻，流量和落差的测定比较简单准确，因此数值可信度高。这和煤、天然气、石油等矿产资源不同，它们深埋地下，勘探工作量大而困难，地质储量和精查后能采出的储量有巨大区别，风险性当然较大。还有一组数字称为"经济可开发量"（容量为4.48亿 kW，电量为1.753万亿 kW·h）。鉴于"经济可开发"的范畴取决于很多条件，随着形势的发展、科技的进步和油、气、煤价的不断攀升，会有所改变，因此我不建议以此作为衡量标准。

在最新普查成果经国家正式公布后，建议以此作为我们的统一口径。

二、中国水电开发的重要里程碑

2004年9月，随着黄河公伯峡水电站首台30万 kW 机组的投产，中国水电总装机容量突破了1亿 kW，稳居世界第一。这是一个有历史意义的里程碑。9月26日，水电工程各领域老中青代表云集在母亲河畔公伯峡工地，举行了隆重的庆典。黄菊、曾培炎副总理亲笔写下热情洋溢的批语。尤其许多白发苍苍为水电事业做出终生奉献的老同志们更是心情激动，热泪盈眶。情景异常感人，将载入水电史册。

但即使是1亿 kW，扣除抽水蓄能后，也只占可开发容量的17%。按电量计，其值更低（2003年水电发电量2 830亿 kW·h，占可开发量的11.4%）。可见今后开发任务之艰巨。可喜的是，在国家"大力发展水电"和"西电东送、南北互供、全国联网"的电力发展政策指导下，当前我国水电开发面临从未有过的大好形势。世界上最大的三峡水电站已有 10 台机组发电，不久将提前竣工。现在在建的水电工程中，容量在 20 万 kW 以上的有 4 640 万 kW，大型抽水蓄能水电工程的容量有 720 万 kW。金沙江、大渡河、雅砻江、乌江、红水河、澜沧江、黄河等 12 个大水电基地正在全面开发建设。在东部和沿海水能资源较少的地区，仍有不少中小型、低水头水能可以利用，还需兴建一大批高水头大容量的抽水蓄能电站，以解决调峰填谷问题。这样的开发规模不仅在我国是史无前例的，在全球也是没有前例的。预计到 2010 年和 2020 年全国水电容量有望分别达到 1.5 亿 kW 和 2.5 亿 kW，出现第二、第三个里程碑。届时，中国将建成无数称冠世界的高坝、长隧洞、巨型电厂和制造相应的机电设备，解决泥沙、消能、环保各种问题。中国无疑将成为世界头号水电大国和水电技术强国。中国的水电勘测、设计、施工、运行、管理、制造、更新改造……都将跃居国际领先水平，为国家的经济发展和民族振兴大业做出重大贡献，这是不可阻挡的历史潮流。

但是，现在有人指出，开发水电也带来许多不利后果，要求停建大坝，重新考虑水电开发问题。那么，中国究竟要不要发展水电？这是一个必须取得一致认识的问题。

三、中国面临的能源挑战

21 世纪初期，是我国经济腾飞和民族振兴的关键时期，尤其是前 20 年，我国国民经济总产值将再翻两番，全面建成小康社会，为今后的更大发展奠定基础。国内和国际上无数专家都在深入分析形势和各种可能。总的看法是：中国的和平崛起不可抗拒，但确实存在许多严重的制约因素。能否妥善解决这些问题，决定了中国的前途。当前的形势可以用国歌中的一句话来形容："中华民族到了最危险的时候!"

在诸多因素中,能源尤其是电源的供应无疑是关键问题之一。预测到 2020 年,全国电力装机容量将达 9.5 亿 kW 左右,年发电量达 4.3 万亿 kW·h 左右,2050 年全国电力装机容量可能达 16 亿 kW。众所周知,我国一次能源以煤为主体,在近期内这一局面难以改变。试设想如果 4.3 万亿 kW·h 的电能全赖燃煤供应,则年需燃原煤约 21.5 亿 t,不仅在资源、采掘和运输上将遇到难以克服的困难,引起的环境污染也将无法想像。可以说,中国在新世纪中面临的能源挑战是世界各国中独一无二的。解决能源"瓶颈"是关系到我国能否健康地、快速地、可持续发展的重大问题。

在资源、采掘、运输和污染诸问题中,尤以污染问题值得注意。因为污染环境引起的后果是在不知不觉中积累而恶化的,不仅影响中国人民赖以生存的环境,也影响全球环境。燃煤产生的各项污染,包括排放废渣、烟尘、硫的氧化物、氮的氧化物及二氧化碳。如果说,对前面的几项还可以不惜工本增加投入、装置先进设备加以处理或减排的话,对二氧化碳则显得无能为力。因为常规燃煤就是通过碳的氧化取得能量的。姑且不说中国已面临的酸雨局面,二氧化碳无节制地排放导致的温室效应,究竟将产生什么恶果,已引起人们的无限忧虑。最近中美科学家发现青藏高原冰川的加速消亡,更给我们敲响了警钟。总之,如何千方百计减少燃煤数量,以缓解资源短缺和减少相应的环境污染,实在已是当务之急。在讨论研究水电开发问题时,希望不要忽略掉这个大前提。

四、开发水电是中国必然的选择

了解中国面临资源短缺和环境污染两大难题的严重程度后,就能较好地理解大力开发水电的必要性。

水电的突出特点就是再生与清洁。虽然有些人士反对这一提法，但事实就摆在面前：只要太阳不熄灭，水能就能年年重生。水电不排放废气、废渣、废水，不排放二氧化碳。在国际权威性会议或论坛上，不论是1992年里约热内卢各国首脑会议通过的可持续发展全球行动计划(《21世纪议程》)，或是2002年约翰内斯堡峰会上关于可持续发展的文件，或是2003年京都全球水论坛，或最近联合国在北京召开的水电与可持续发展国际研讨会上，都明确地把水电列入可再生能源之列。不仅如此，水电实际上是目前人类惟一能够大规模商业化开发利用的可再生清洁能源。当然，我们应该不遗余力地研究发展太阳能、风能、地热等其他可再生清洁能源，但在可见的时期内其成本毕竟较高，数量毕竟有限，而中国恰恰拥有举世无双的水电资源，不考虑利用，就难以为人理解了。

有人觉得水电只占电力的20%，比例不够大。要看到20%不是个不足道的比例，而且不要忘记水电的再生性。如果2.48万亿$kW \cdot h$的水能真能全部利用(实际上当然做不到)，相当于每年可替代12.4亿t原煤或6.2亿t原油。利用100年就是1 240亿t原煤或620亿t原油，利用200年就是2 480亿t原煤或1 240亿t原油，远远超过我国目前已精确查明的剩余可采矿藏，何况水电还有提高电能质量、安全和大量综合利用效益。

也有人认为反正还得烧煤，水电利用并不能彻底解决二氧化碳问题。其实二氧化碳排放量只要控制在一定数量下，是可以接受的。今后燃煤量不可能无限制地增长，用水电及其他清洁能源替代了一部分燃煤后，就能使排放量限制在可接受范围内。而且今后人们终能研究出不排放二氧化碳的煤能利用方法，只是需要时日，开发水电正可补这段时间的需要。

从以上分析可知，国家制定的电力发展政策："大力发展水电,优化发展火电,积极发展核电,努力发展新能源",把水电排在第一位是深思熟虑后制定的一贯政策,是十分正确的。对中国来说,开发水电是不以人们主观意志为转移的必然的选择。

五、水电开发面临的制约条件

中国水电资源虽然丰富,但开发中也面临许多制约条件,有些具有共性,有些则由中国的具体情况产生。

在新中国成立初期,首要的限制条件是技术水平和装备水平。那时我们只修过几座几百千瓦到几千千瓦的小水电,施工机械极缺,甚至连混凝土的振捣器都没有,加上经济实力薄弱,要修建大水电站简直近于做梦。经过半个多世纪的奋斗,这一困难可以说已经过去,许多外国权威都认为中国工程师"能够在任何江河上修建他们认为需要的大坝和水电站"。当然,我们在创新、质量及管理上离国际先进水平还有差距,仍须继续努力。

第二个制约因素是投入问题,尤其在计划经济时代,一切基建经费都由国家投入。水电开发集一次、二次能源建设于一体,要和江河打交道,要处理淹没移民等问题,与单纯为发电而修的火电厂相比,投入必然较多,工期必然较长,尽管人们都明白这个道理,但在电力需求迅速增长的压力下,有限的资金总是先建火电厂,形成所谓"水火之争"。当年,要上一个大水电,不知要历经多少次折腾啊!

这个困难在国家经济迅猛增长、综合国力极大提高、特别是电力体制深化改革后,也已成为过去。相反,出现了各大发电集团公司、独立发电企业和众多民营企业"跑马圈地"争相开发水电的局面,银行也踊跃投资,大中型水电开发出现了前所未有的势头。"跑马圈地"固然会导致人为划分势力范围和无序开发的后果,有待规范,但另一方面也极大地促进了水电开发的速度,这是包括我在内的许多人当初难以想象的。

第三个制约因素是我国的降水在时空上极为不均,这对开发利用水电是不利的。降水在时间上的不均,不仅使河流在汛期和枯水期的流量有巨大差别,而且还会出现连续枯水或连续丰水年的情况。当然可以修建水库进行调节,但所需库容巨大,投入和移民问题都较难解决。降水在空间上分布不均,水能集中在西部,和各地区经济发展不协调,需长距离超高压送电,导致投入增加、成本提高和其他许多问题。

第四个制约因素是淹没移民问题和对环境产生某些负面影响。开发水电离不开修坝建库,总要淹没一些地,动迁一些居民,还会对生态环境带来某些影响。中国人多地少,生态环境脆弱,移民工作困难,这无疑要增加水电开发的难度,今后也许会成为水电开发中最大的制约因素。

下面拟对后面两个因素做些简单探讨。

六、电网离不开水电、水电离不开电网

为了解决我国降水量在时空分布上的不均匀问题,除了需修建必要的调节水库特别是龙头水库和尽量满足当地负荷外,主要的措施是将水电站纳入大电网统一调度运行。只有这样,水、火、气、核各种电源才能都在最佳位置上发挥作用,取得最大综合效益;水电能量才能最大程度地被吸纳利用,从而最大程度地降低燃煤量。为此,设置一些重复容量也是合理的。

汛期水电量大,此时适值迎峰度夏,正可充分利用,而由火电、气电、抽水蓄能等承担峰荷,火电机组可安排检修、储煤。枯水期水电出力少,可以担任峰荷和安全备用,并安排维修,由火

电、核电等任基荷。通过电网的优化调度,可使各种电源各得其所,水火互补,还可取得错峰效益。电网越大,越有利于灵活科学调度。地理上的分布不均问题,也可通过电网的加强、扩大直到全国联网得到解决。原能源部黄毅诚部长有一句名言:电网离不开水电,水电离不开电网。道出了此中真理。

显然,如果由各发电集团自由无序地各自建电站,就很难使各种电源合理配置,优化电源结构,并与电网建设结合,实施优化调度,所以全国的电源和电网建设必须在国家的统筹规划和宏观调控下有序进行,以实现国家意志和全局最高利益。当前,西电东送、南北互供、全国联网、水火互济的政策,正是国家意志的体现。

七、关于淹没和移民问题

开发水电需付出淹地和移民的代价,成为一大制约因素,也是许多人反对修水电的主要理由之一。土地当然是可贵的,尤其中国人多地少,更宜珍惜。但许多水电工程在淹地的同时,可以开垦出新的耕地,使下游荒滩变成良田,还可使大量低产田成为旱涝保收的高产田,在负面影响中仍起有正面作用。再放开来想,几千年来,随着人口猛增,人与水争地愈演愈剧。如湖北本为云梦泽,千湖之省,现在所余无几,连洞庭湖都变成一条盲肠,后果严重。所以国家才要平垸、退田、还湖,那么不妨把建库视作另一种形式的还湖,是人对水的一些退让。水库的调节性能可远胜于湖泊或蓄洪区啊。

总之,有付出才有收获,为了取得水能,确要淹一些地,正如城市为了建立高新技术开发区需要拨出一定土地,甚至是单价极高的郊区良田(其代价不是淹没些峡谷中的土地可比)。我们要从战略目光分析这个问题,不要简单地扣上"不可逆转的损失"而了事。当然,这绝不是说可以不重视淹地问题,应该尽一切努力减少淹地数量,可防护的尽量防护,临时用地要尽量恢复,要尽量造地和增产农业,争取以最少的土地代价取得最多的能源。今后主要水电资源在西南山区,与取得的巨大能源相比,单位淹地量还是较少的。

与淹地伴生且更难处理的问题是移民,而且不应否认过去在"左"的思潮干扰和"改造自然、人定胜天"思想指导下,做过许多傻事,侵犯移民权益。要引以为戒,坚决纠正错误的行为,所以国家推行"开发性移民"政策。

移民工作十分复杂困难,哪怕只有百分之几的人未安排好,也会引起他们的痛苦和社会的不安定。但事在人为,就怕不认真。真正认真负责做事,问题是可以解决的。像二滩、水口等利用世界银行资金的工程,其移民工作就得到以严格闻名的世界银行的肯定。关键在于,一是要有妥善而切实可行的安置计划,使移民确能迁得出、稳得住、逐步能致富,要结合大农业和城镇化改造,妥善安置,不要总是走后靠、务农这一条路;二是要有合理和充足的费用,在严格监督下使用,确实要 100% 用到移民上;三是要负责到底,工程投产后继续关心支持库区经济发展,使移民在工程建设中受益而不是受害。今后主要水电站位于西南峡谷中,移民量相对较少,当地经济落后,人民贫困,正要借水电开发改变面貌,所以政府、人民都支持开发,我们不能辜负他们的支持,一定要做好移民工作。当然,我们也要反对脱离国情和现实的过高要求,使移民费用几乎成为无底洞,使水电开发在经济上无利可图,在实施上困难重重,企业最后只能放弃,结果一害国家、二害地方、三害自己,这是极端短视和错误的做法。

八、水库淤积了怎么办

我国许多河流输沙量较大,在自然条件下,冲淤平衡。建库蓄水后,水深增加,流速减缓,泥沙必然要沉积在库里。因此,很多同志认为水库寿命有限,迟早会淤满,后果极坏。例子就是三门峡水库。

在多沙河流上建坝,运行初期总是入库泥沙多于下泄泥沙,水库逐渐淤积,从库尾开始,逐步向坝推进。经过若干年后,达到冲淤平衡,水库就不再淤积。这一段历时之长短,取决于河流的输沙量、水库条件和运行方式。我国经数十年的研究和实践证实,许多水库可采取"蓄清排浑"的运行方式,即在汛期流量和沙量较大时,利用低高程的排沙泄洪孔洞尽量泄洪排沙,到枯水期再把清水蓄起来,可以大大减少水库淤积量,像三峡水库要运行百年后才达到冲淤平衡。科学的运行方式不仅可减少水库淤积量,更重要的是,在达到冲淤平衡后水库仍能保持一定的有效库容。如三峡水库在冲淤平衡后仍有 80% ~ 90% 的有效库容能长期发挥作用。从这个意义上说,三峡水库的"寿命"是永久的。当然,如果水库条件和运行方式不利,淤积期可能较短,能保留的有效库容可能不多,水库的调节作用将削弱甚至丧失,但抬高水位的功能仍在。上游库底已淤高,在靠近大坝处出现一个大漏斗,仿佛自然河道中有一个集中落差。此时,无非水电站变成径流式,仍可运行,如上游有调节水库,其功效并无大减。黄河上的盐锅峡、八盘峡、青铜峡不是仍在正常发挥发电、灌溉和供水作用吗?

具体问题具体分析,水库淤积并不总等于水库死亡。

九、全面客观地评价水电对环境的影响

开发水电对环境会产生正、负两方面影响,过去对负面影响

重视不够,解决不力,也是事实,所以成为一些人反对水电的重要理由。但把话说过头,有理也变成荒谬。一段时间内,报刊上发表了一系列文章:《水坝惹是非》、《反水坝运动在世界》、《大坝时代已经结束》、《水坝热的冷思考》、《修建水坝带来的困惑》……以反建坝、反水电为时髦。我认为,不提或不愿提水电的巨大贡献,不看中国的国情,完全跟西方国家某些人的调子,在一顶笼统的大帽子下,罗列一些负面影响和过去的失误,从而否定建坝和水电开发,既不客观全面,也是违反国家整体和长远利益的。

客观地看问题,就应该既看到建坝和开发水电的贡献,包括对生态环境的巨大贡献,也看到其负面影响。对于后者,具体工程各不相同,总的讲,最大的问题是淹地、移民和淤积,这些在上面已简单讨论过。其次是对生态环境的一些具体影响,如对鱼类、景观、文物、珍稀物种、卫生、地质灾害、局地气候……可以列出百余项。其中有些可以减免,有些可以补偿,有些可以拆迁保护,有的影响极为微弱或十分遥远,其中对鱼类的影响是个重点,都需认真分析,下一个公正的结论,再采取有效的措施,不要笼统地宣称影响面广泛和深远,予以否定。当然,如果该工程确实弊大于利,相信也没有人要坚持做这种得不偿失的事。

十、水电需要国家政策扶植

水电对国家有如此巨大的效益,其开发又受到众多条件的制约,因此要大力和有效开发水电,特别要开发大型、巨型水电,必须得到国家的扶植,不能完全寄希望于企业的市场行为,研究世界各大国的水电开发史,都会得出这一结论。

所谓国家扶植,就是国家把开发水电作为它的能源政策的一个基础,在一定时期内,甚至是最重要的国策之一,像巴西就是这样做的。我国历届政府都确定大力开发水电，以及"西电东送，南北互供，全国联网，水火互济"的电力政策，对水电开发起了不可估量的支持作用。

但还需要更多的具体政策的支持，包括税收政策、融资政策、电价政策、移民政策等。中心意思是请国家各部委和各级政府认识到水电开发对国家的重大作用，在各方面予以支持，而不是把它作为利税大户，尽量从中取得好处，否则，大家视之为唐僧肉，都来"雁过拔毛"，这只雁肯定胎死腹中了。

其实水电也并不求国家给予特殊优惠，只要求给予公正的对待。例如，水电既是一次能源开发，那么给予其他一次能源开发行业的政策也应同样给予水电。水电既是清洁能源，那么不应违反常识地把水电排除在清洁能源之外，拒绝给予相应优惠。大水电的作用远远高于小水电，目前给予小水电的政策没有理由不适用于大水电。水电用水发电，无采煤等上游行业，这对国家是大好事，其增值税自应适当降低。水电既为清洁能源，就不能和严重污染环境的电来一个同样水平的"竞价上网"，否则就显失公平。水电是电力系统的重要调峰和保安手段，利用小时较低，就必须给以适当的容量电价和峰荷电价。水电的充分利用，能大大降低煤耗和污染，但水情又难预知，因此对洪水期水电和"计划外水电"应扶植收购，不应拒之门外或以极低价收购。水电开发实际上也是给库区经济的发展创造条件，所以应该充分理解，相互支持，这就需要一部翔实可行的移民法……这些道理不是非常清楚的吗？

不幸实际情况往往难如人意，有的甚至是背道而驰，为开发水电制造种种阻碍，如果说中国的水电开发最后并不理想，这恐怕是最大原因了。例如说向水电征税的问题，听说有关部门要征收"水资源使用税"，水电行业仅仅让水从水轮机中流过，利用了其能量，既未耗用一滴水，更未污染半滴水，却要征收资源税，来抬高水电成本，这合理吗？按此而论，什么风电、太阳能、生物能不是更应上资源税吗？更难想象的，为开发水电，在山里挖了些地下洞室来安装水轮机，听说也有人动脑筋要征收"房产税"，这真让人啼笑皆非。希望有关部门以大局为重，莫使人民有"而今只剩屁无捐"之叹！

十一、结论与展望

中国人民具有克服任何困难的传统和能力，我们对中国能解决能源问题具有信心。中国的水电开发更是前程似锦。中国会妥善解决开发中出现的一切问题，在 2010 年和 2020 年中国水电总容量将分别登上 1.5 亿 kW 和 2.5 亿 kW 的新高峰，到 2050 年前后，中国境内技术可开发的水电资源绝大部分将得到利用，为中国的经济发展和全球的环境保护做出巨大贡献。

中国将同样努力地利用核能，开发风能、太阳能、生物能和一切清洁能源，连同水能，成为支撑中国能源的半片天。煤仍然是中国的主要一次能源，但中国将实施煤的清洁利用、高效利用、转化利用，直到实施包括二氧化碳的近零排放。

其后，我们可以向大海、月球取得能源，实现可控核聚变，最终解决能源供应问题。但我相信，到那时，中国的水电站仍将欢快地运行，中国仍将是一个清洁、高效、节俭、文明的社会，因为中国实行的是有中国特色的社会主义。

也谈水电开发和拆坝问题

我国正在大力开发水电。中国的水电资源蕴藏量曾有过多次更新。据水力发电工程学会最近的资料，大陆水电理论蕴藏量为6.944亿kW，其中技术可开发容量为5.416亿kW，相应年发电量2.474万亿kW·h。2003年全国水电发电量2 830亿kW·h，只利用了近11%。2004年9月，随着黄河公伯峡水电站首台30万kW机组投产，全国水电容量突破1亿kW，成为世界上拥有水电容量最多的国家，但开发水平仍很低，在全国总发电量和容量中，大约只占18%和24%的比例。

当前我国水电开发面临从未有过的大好形势。世界上最大的三峡水电站已发电，不久将竣工。现在在建的水电工程中，容量在20万kW以上的有4 640万kW，大型抽水蓄能水电工程的容量有720万kW。金沙江、大渡河、雅砻江、乌江、红水河、澜沧江、黄河等12个大水电基地正在全面开发建设。在东部和沿海水能资源较少的地区，仍有不少中小型、低水头水能可以利用，还需兴建一大批高水头大容量的抽水蓄能电站，以解决调峰填谷问题。这样的开发规模是史无前例的。预计到2010年和

注：本文系作者为"联合国北京水电与可持续发展国际研讨会"（2004年11月27～29日）所写的文章。

2020 年全国水电容量将分别达到 1.5 亿 kW 和 2.5 亿 kW，并将为国家的经济发展和民族振兴大业做出贡献。届时，中国将建成无数称冠世界的高坝、长隧洞、巨型电厂和制造相应的机电设备，解决泥沙、消能、环保各种问题。中国无疑将成为世界头号水电大国和水电技术强国。中国的水电勘测、设计、施工、运行、管理、制造、更新改造……都将跃居国际领先水平。

开发水电离不开建坝。水坝也是其他水利工程中最重要的建筑物。拦河筑坝形成水库，才能调蓄水量、抬高水位、增加水深，以满足发电、防洪、供水、灌溉和通航等之需。有史以来，人们不断在河道中建坝，到 20 世纪而大盛。至今全球到底已建有多少座水坝，恐怕无人能说得清。中国是"水坝大国"之一，而且为了充分开发水电和解决其他水利问题，中国还在修建和即将修建更多的大坝、高坝。据中国大坝委员会资料，2004 年中国已建、在建的水坝（坝高大于等于 30m 的）有 4 754 座，其中在建的 131 座，最高的云南小湾拱坝高达 292m，为世界最高拱坝，龙滩的碾压混凝土重力坝高 216.5m，水布垭的面板堆石坝高 233m，都是相应坝型中最高的。其他如三峡、拉西瓦、溪洛渡、构皮滩、瀑布沟等工程的水坝也是世界上不多见的大坝。至于待建和规划设计中的大水坝更是难以计数了。

世界上有一部分人士一直反对建坝，要求"让江河自由奔流"。到 20 世纪六七十年代，这一呼声逐渐高涨，形成势力，发源于美国，波及到全球，包括中国。由于很多大坝的修建是为了开发水电，从而又宣传水电不是可再生的清洁能源，而是一种落后的生产方式。通过这些人士的呼吁和媒体的宣传，正在中国的群众和领导层中产生影响。人们不禁要问：在开发水电和建坝问题上，新世纪中的中国将向何处去？

首先让我们谈谈水电的性质和在电力工业中的地位问题。从宏观上看，今后中国的能源和电源供应形势十分严峻。预测 2010 年全国电力装机容量将达 9 亿 kW 以上，2050 年可能达 16 亿 kW。一次能源主要依赖煤炭，每年仅发电燃煤就需十多亿吨，面临采掘、运输特别是环境污染等条件的严重制约。可以说，中国在新世纪中面临的能源挑战，是世界各国中独一无二的。如何千方百计减少燃煤量及相应的污染，是关系到我国能否可持续发展的重大问题。在这种形势下，不利用我国得天独厚的水电资源，是难以理解的事。

水电的突出特点就是可再生与清洁。虽然有些人士反对这一说法，但事实就在面前。只要太阳不熄灭，水能就年年更新。水电不产生废气、废水、废渣，不排放二氧化碳。在国际权威性会议或论坛上，不论是 1992 年里约热内卢各国首脑会议通过的可持续发展全球行动计划（《21 世纪议程》），或是 2002 年约翰内斯堡各国首脑会议关于可持续发展的文件，或是 2003 年京都全球水论坛上，都明确地把水电列入可再生能源之内。不仅如此，水电实际上是目前人类惟一能够大规模商业化开发的可再生清洁能源。当然，我们应该不遗余力地研究发展太阳能、风电、地热等其他可再生清洁能源，但在可见的时期内其成本毕竟较高，数量毕竟有限。正因为如此，国家制定的电力发展政策是："大力发展水电，优化发展火电，适当发展核电，积极发展新能源"，把水电排在第一位。总之，加快开发水电，实施西电东送和全国联网，是缓解能源供需紧张和环境污染的极重要措施，也是国家基本国策，正在实施中。这就是现实的形势。

有的同志认为水电的比例总是有限，反正要靠烧煤。要看到 20% 并不是一个小的比例，而且不应忽视水电的再生性质。如果每年 2.48 万亿 kW·h 的水电真能全部利用，相当于每年可替代 12.4 亿 t 原煤或 6.2 亿 t 原油，利用 100 年就是 1 240 亿 t 原煤或 620 亿 t 原油，利用 200 年就是 2 480 亿 t 原煤或 1 240 亿 t 原油，远远超过我国目前已精确查明的剩余可采矿藏。何况水电还有提高电能质量、保障电网安全和大量综合利用效益。

开发水电也面临许多制约因素。首先是淹没损失和移民问题，其次是对一些生态环境的负面影响，而这些又都是筑坝建库引起的。因此，一段时间内，《水坝惹是非》、《反水坝运动在世界》、《大坝时代已经结束》、《水坝热的冷思考》、《修建水坝带来的困惑》……纷纷发表，"反坝"成为时髦话题。我认为，不提或不愿提水电的巨大贡献，在一顶笼统的大帽子下，罗列一些水坝的负面影响，或过去的失误，从而否定建坝和水电开发，既不客观全面，也是违反国家整体和长远利益的。

凡事一分为二，修坝建库在带来巨大利益的同时，也要产生一些副作用，尤其我国早年在"人定胜天"、"控制自然、改造自然"的指导思想下，忽视生态环境保护和移民权益，更是不容否认的事，在新世纪中当然要引以为戒，坚决纠正。但把事情说过头，以偏赅全，有理也成为谬误。像美国一些极端反坝主义者，罗列了水坝的种种罪行，从破坏生态到侵犯人权，已远远超过十大罪状，达到文化大革命中的"滔天罪行"程度，三峡大坝也荣膺"世界上最大的坟墓"之桂冠。在一位麦考利先生的笔下，水坝、水电被描绘成万恶之渊薮，是人类所干的最愚蠢的事情，侵犯人权、污染、腐败、贫困、浪费……所有的社会丑恶和经济危机都和水坝连在一起（见《沉默的河流》，此书在中国翻译出版时，巧妙地改名为《大坝经济学》），这就有些不够公正了。

　　客观一点看问题，就应该既看到建坝和开发水电的贡献，也看到其负面影响。对于后者，具体工程完全不同。总的讲，最大的问题是移民，其次是对一些生态环境的影响。在考虑问题时，还应密切结合中国国情。应该看到，我国今后的能源供应和环境污染问题是十分严峻的，而要开发的主要水电资源集中在西南高山峡谷中，淹没损失及移民数量相对较少，而且当地经济落后，人民贫困，正要借水电开发改变面貌，所以地方政府和人民迫切争取开发。对生态环境的影响也相对不严重，只要认真面对，也是可以解决的。

　　现在，反对建坝的人们已不满足于反对建新坝，而且要拆除已建的坝。一些人大力宣传这几年美国已经拆除了五百多座水坝，"人家都在拆坝了，我们为何还要建坝？"有的记者就问我三峡大坝何时拆除？怎么拆除？

　　中国长江三峡开发总公司的林初学同志对美国拆坝问题做了详细的调查研究，搜集了许多资料，做了客观的评述。在《中国水利》2004年第13期中，也刊登了有关资料。我就利用他们的资料和看法来回答建坝还是拆坝的问题。

　　建坝、拆坝，首先要问是什么坝？美国建国以来一直在建坝，如果不论高低大小统统算数，可能超过200万座。对坝高、库容等做些限制，也有七八万座。200年来建了这么多坝，每年一定会有相当数量的坝因各种原因不再使用或干脆废弃。已经拆除的五百多座坝是些什么坝呢？它们的坝高（均方值）不到5m，坝长数十米，都是修在支流、小溪上的年代已久、丧失功能的废坝、弃坝，99%以上不是为水电修造的，都是业主因经济、安全原因主动拆除的，根本写不进反坝主义者的功劳簿中。有影响的坝一座也没有被人为拆除。国内一些文章在谈到美国拆坝时，细心地把这些最重要的数据都删去。如果这算拆坝，老天爷年年在为中国拆坝（每年有许多小型塘坝溃决），前些年我们搞退垸行洪，中国才是拆坝大国呢！美国垦务局在拆除旧水坝时又在原坝址建起新水坝，这一点，有关人士当然也绝口不谈。因此，当人们振振有词地诘问："发达国家都在拆坝了，你们怎么还在不断建坝呢？这不是逆世界潮流而动吗？"这好比问："发达国家已经把牛车拆掉了，你们怎么还在造汽车？"一样逻辑不通。发问者不是不明情况就是在偷换概念。

但是反对建坝者的观点并不是全无可借鉴之处，相反，许多地方值得我们深思。我认为，在新世纪中建坝，特别在现在的高潮中，必须保持头脑清醒：①必须做好统筹规划和认真审查，建那些应该建、必须建、可以建的坝，弊大于利或是重大问题未落实前就不建或缓建，不是越多越好、越高越大越好，不要"大干快上"、草率上马，不要使子孙为我们做出的错误抉择而感到遗憾。②必须认真研究弄清建坝的利弊得失，要特别重视保护自然和对生态环境的影响，关心利益受损的弱势群众，解决好移民问题，要真正使移民从建坝中脱贫受益。移民工作虽难，只要有妥善规划和充足资金，只要不把资金移作他用，真正用到移民身上，是可以做好的，我国二滩和水口的移民工作就得到世界银行的肯定。对建坝的负面影响要千方百计减免到最低程度。③对于已失去功能、接近废弃或因经济、安全原因不宜再运行的小坝、老坝，要有计划地废止、拆除或加固、改建和新建。至于像三峡一类的大坝，属于千年大计，实际上是无法拆、不能拆的。古人修建的水利工程可以利用 2 000 年至今，为什么按现代技术修建的工程不能用上 2 000 年呢？要做好维护工作，使她真正"利垂千秋"，直到她的功能可以被其他措施代替。例如，人们已能呼风唤雨，控制气象，用不到三峡水库调洪了；人们已能从核聚变等措施中获得无限的廉价的能量，用不到水力发电这种"落后的能源"；万吨巨轮也已能在水上悬浮行驶和飞过大坝……甚至轮船这种落后交通工具已经淘汰了，三峡的船闸和升船机当然也结束使命。那时，三峡大坝就可以光荣退役。退役后怎么办？或者将它改造为一个超过尼亚加拉的人工大瀑布？这些前景不如让科幻小说家去想象吧。

水电开发失误不得、耽误不起

——我对水电开发和生态环境保护的理解

现在中国的水电开发既面临从未有过的大好形势，也面临从未有过的压力和指责。一些人士强烈反对建坝和开发水电，一些媒体则大肆炒作，以反建坝、反水电为时髦，否认水电是清洁能源，无限夸大建坝的负面作用，严重误导人民。我们对这种意见实难苟同。我认为，这种意见似存在以下误区，愿提出来供大家商讨。

一、没有抓住中国今后发展中面临的最主要矛盾

正如领导同志指出的，今后二三十年是我国和平崛起的关键时期。我们能否在这段可贵的时期中健康、高速、可持续发展，决定着国家的前途、民族的命运。由于历史失误，现在我国人口将近 13 亿，要持续发展，面临十分严峻的局面。能源短缺和以煤为主产生的采掘、运输特别是污染环境问题，成为制约我国能否健康发展的主要矛盾之一。任何对国家民族前途负责的人都不能不正视这一问题。任何能缓解这一主要危机的努力都应得到全

注：本文系作者为"三江水能资源开发与环境保护学术研讨会"写的书面发言稿摘要，2004 年 11 月 17 日。

国人民的支持。中国有举世无双的水电资源，水电又是目前惟一能够大规模开发利用的可再生清洁能源。开发水电、减少燃煤正是从根本上保护我国生态环境的重大措施。正因为此，国家才将"大力开发水电"列为能源基本政策之首，国务院和国家综合部门紧抓不放。这说明领导层的高瞻远瞩之处。反对开发水电的人士，从来不肯面对我国国情，面对这一主要矛盾。试问人们能够提得出另外一条现实可行、能在近期大量替代燃煤的措施来吗？有些同志不肯承认水电是清洁能源，试问水力发电排出了二氧化硫、氮氧化物、二氧化碳和其他废气废渣了吗？导致酸雨和温室效应的加剧了吗？前不久，联合国在北京举办水电与可持续发展国际研讨会，会议一致通过《北京宣言》，充分肯定了开发水电的巨大意义，希望这有助于我们取得共识。

二、没有抓住矛盾的主要方面

凡事一分为二，开发水电在取得包括环境保护在内的巨大效益的同时，也会产生一些负面影响。有些人士抓住这一点做文章，以偏赅全，无限上纲。似乎一开发水电，就必然要产生恶果，而且是无法化解、为害千秋的。应该看到在这一矛盾中，人的活动是主导方面。通过全面规划、优化设计、文明施工、采取各种有效措施，负面影响是可以减免、化解和补偿的，甚至可以转化为正面影响的。例如，只要做好工作，移民就能脱贫致富，摆脱几千年来的贫困局面。

三、缺乏量的概念

建坝成库，调节水流，当然要改变天然水流状态，引起一些变化。但如库容与流域年径流量比很小，抬高的水位和峡谷高度相比很小，则产生的变化也是有限的。我相信在怒江适当建些水电站，改变不了洪水期江水咆哮奔腾的壮观景象，改变不了怒江大峡谷有雪山、陡坡、草原、急流的瑰丽景观，更不会使三江并流区的地质多样性、生物多样性和景观多样性丧失掉。

四、不懂得变化和发展是宇宙正道

有些人士强调要保留原始生态和古老文化。事实上，变化和发展是一切事物的根本规律。宇宙间没有绝对静止的东西。静止、停滞就意味着死亡和消失。当然，在变化和发展中我们一定要注意使它沿着正确方向前进，一定要保护生态环境和古老文化，但保护不等于保留不变和停滞不进，使经济和人民永远处于极端落后与贫困的局面下。我们可以批评北京在发展中所犯的种种失误，但总不能把龙须沟保留下来；我们可以要求上海保留些石库门建筑，但总不能不让上海建楼房，要求上海人民清晨在里弄里刷马桶；我们要保护猴子，但总不能因此要求人们过着猴子般的生活。人的生存权和发展权毕竟是第一位的。

总之，开发水电与保护生态环境不是不能兼顾的。有些文章总是给水电戴上一顶破坏生态环境的大帽子，罗列些以往的失误，从而予以全面否定，这种做法是不科学、不客观、对国家有害的。以往的失误值得认真总结，坚决纠正，这是我们不容推卸的责任。我们要以新思想、新观点搞水电开发规划，那就是在保护生态环境的前提下开发水电，在开发水电中加强环境保护。在这个新观点下，不应追求水能的"充分开发"，并不是发电量最多的方案就是最优方案。不要企图把一条江河全部渠化，对所有水量进行完全调节，而要选择一个包括生态环境因素在内的最优方案，有时这个因素甚至起到主导作用。

作为水利工作者，我们一方面要深入细致地做好宣传解释工作，把事实真相告诉人民；另一方面要认真做好自己的工作，选出真正的最优方案，要做到水能开发和生态环境保护双赢，要站在弱势群体一面，用我们的出色工作成果来证明我们的观点。要使怒江水电得到利用之日，也就是地方经济开始大发展、移民走向脱贫致富之时，更是生态环境得到认真保护、比过去更加美好之时。对所引起的不可避免的负面影响，则要千方百计使之减小到最低程度，或进行补偿。用事实来回答某些人士对水电的责难和疑虑，则国家幸甚，人民幸甚！

水电是绿色能源

——答《澜沧江报》记者马琰同志问

记者：2003年，怒江开发引发了全国性的争论，反对修坝者的理由有"怒江开发将导致生态灾难"、"水电不是绿色资源"、"水电未必使当地脱贫"等。另一种说法是，不能夸大水电开发的负面影响，也不能忽视水电的经济效益和综合价值。争论是好事情，但作为新闻媒体应如何正确宣传？

答：过去中国在发展过程中，确实对保护资源和环境方面注意不够。因此，经济虽然发展了，但是以浪费资源和污染环境作为代价，这是不可持续的。

随着经验的积累和认识的提高，现在我们都强调在发展中要重视资源和生态环境的保护，这是件好事。但无论什么事情都要一分为二地分析，建一个工程，特别是大型水利工程，有百利无一弊是不可能的。新闻媒体应科学、客观地评论工程的正负面作用，不要夸大，更不能歪曲。

记者：有人说，由于水电开发对原生生态环境和水环境难以恢复的破坏，它已很难被称为"清洁"了，另外，水也并不是

注：本文为作者答《澜沧江报》记者问的记录，李永立、马琰同志整理，2004年4月24日。

"白白地"在河里流，它是生态资源存在的一种形式，当一道道大坝下出现一段干涸的河床时，它已破坏了维持河流生命和生态系统的合理资源储存，而这最终导致大自然无情的报复。比如，三门峡水利枢纽，库区淤沙严重，抬高渭河河床，大汛时危及关中平原。

答：这种说法太片面。水能直接来自太阳能，是清洁、可再生的能源，对大自然没有任何污染。其他能源如煤、油、气、柴等燃烧时都要产生硫化物、氮化物、二氧化碳、废渣废尘，严重污染大气和陆地，还加剧温室效应，影响全人类。从这方面来说，水电主要是一个保护生态环境的清洁能源工程。

例如，1958年修建新安江水库（千岛湖），并没有"对环境造成难以恢复的破坏"，相反，现在已成为世界闻名的旅游胜地。而且水库的水质达到一级标准，一库水等于一库矿泉水。现在浙江省想把新安江水库的水直接引到下游城市饮用，因为下游广大地区的水质已污染到不宜饮用了，可那并不是由于开发水电造成的啊。

从节约资源方面来看，中国可开发的水电资源大约每年能发2.48万亿kW·h电，而且永不枯竭。换成火力发电，每年就需燃烧约12.4亿t原煤。现在中国能源非常短缺，即使以相对丰富的煤来说，真正查明可以建矿的资源仅1 000亿t，每年十几亿、几十亿吨的采掘、燃烧，能够永远维持下去吗？

水电开发的综合利用效益非常显著，特别是防洪，如新安江，过去洪灾频发，下游经济难以发展，人民生活非常困难。修建新安江水库后，近50年来下游旱涝保收，消除洪灾，人民生活水平极大地提高。

确实有某些工程考虑不周，负面影响严重，但不要以偏赅全，不能因为一座三门峡就把所有水利水电工程统统否定。埃及阿斯旺水坝规模巨大，曾引起世界上很多人反对，被认为是破坏生态的典型：下游两岸土地盐碱化、尼罗河入海口退缩、鱼类减少……负面影响能开一大堆。但有一条却避而不谈：阿斯旺水坝建成后灌溉了埃及的大量土地，粮食产量成倍增长。20世纪非洲曾发生严重的多年旱灾，埃及周边国家遍地饿殍，但埃及却没有饿死人。为什么一些人只盯住沙丁鱼的减少，对于救活了几百万人却避而不谈？到底什么更重要些？

过去我们轻视保护环境，产生了一系列的后果，今后一定要吸取教训，走可持续发展的道路，但一定要客观地分析得与失，千万不要因噎废食。

记者：据了解，在20世纪80年代，世界上一些国家开始拆除部分水坝，而我国水电开发却紧锣密鼓？

答：国情不同。比如美国建坝史较长，早年修的部分坝规模小，水平低，运行时间已久，濒临坍塌，他们拆的是这些没有利用价值的旧坝。在哥伦比亚河、密西西比河、田纳西河、科罗拉多河等高坝、大坝、大堤集中的地方，真正在发挥防洪、供水、发电、通航作用的大坝哪一座拆掉了？

中国在新中国成立后才开始修建一些现代化的大坝，最长时间不过四五十年。中国是发展中国家，要解决洪涝灾害，要给城乡工农业供水，在发电方面，多年来电力始终滞后于国民经济发展。中国有世界上最丰富的水力资源，但是开发率仅仅15%（水能资源最集中的西部开发率仅8%），远低于发达国家。

有的同志把国外拆除老坝的活动作为反对国内水电开发的理由，这是不了解各国国情。希望遇事多分析，不要人云亦云。

记者：水电开发能否真正使当地脱贫？

答：水电开发绝对可以振兴当地经济，主要问题是要安排好移民。如果移民规划工作做得好，库区人民生活也就能提高。四川二滩和福建水口等水电站的移民安置工作都得到世界银行的认可和赞扬。国内水利工程中确实有由于水库移民工作做得不好给当地人民带来灾难的，教训要吸取，但不能作为全盘否定的依据。

对于怒江开发，我还没有深入研究过，现在不能说什么。我的想法是，不开发水电并不一定能保护环境。国内很多地区没有开发，生态环境破坏严重。怒江两岸人民生活非常贫困，他们要生活就得垦荒、砍树，原始的秀丽风光也保留不了。从另一个角度讲，将水电开发的一部分收益资助当地，帮助他们脱离原始落后的农业方式，过文明的生活，才能真正保护生态环境。所以任何问题都要全局考虑，才能得出正确结论。

记者：有资料说澜沧江开发似乎引发下游国家的不安，如1992年到1993年漫湾蓄水导致下游罕见的低水位；担心澜沧江径流量被均衡后会导致湄公河三角洲内陆洪泛区平原严重干旱；也会导致对小湾、糯扎渡这样巨型水库大量泄洪超过下游河段的防洪能力的恐慌，您如何看待这些担忧？

答：水库建成开始蓄水时对下游会有一点影响，但蓄水后就恢复正常，发电不耗水，根本不会引起下游的低水位或干旱。漫湾电站库容小，蓄水期很短，而且漫湾至下游国家还有很长河段，有大量水量补入，怎么可能造成下游缺水呢？我不知道这种说法有何根据？

天然河流在洪水期、枯水期径流分布不均，才造成洪旱灾害。建库能使径流量得到适当调节，对下游是大好事。小湾、糯扎渡建成后库容巨大，调蓄洪水能力更强，对下游的造福就更大了。

记者：世界上蓄水后诱发地震的大坝 70 多座，绝大多数坝高在 100m 以上，小湾坝址在地震活跃区，坝高 292m，蓄水后会诱发地震及其他生态灾难吗？

答：地震就是大断层在地应力不断积累下最终发生错动，释放巨大能量。小湾水库对地基产生的一点应力微不足道。所以库区地震应称"触发地震"，即大断层处能量已经积蓄到相当程度，水库蓄水后，水渗入断层，起到润滑作用，促使断层发生错动。应当说水库触发地震是好事，提前释放地壳能量，不至于积蓄到更严重的地步，发生更大的破坏。

水电工程的前期工作要查清区域地质构造、有无长大的发震断层、地震活动的历史记录等，根据这些资料预测可能的震源、震级，根据震距及衰减程度计算对大坝的影响。小湾工程前期勘测工作做得很细，国家水利部门和地震部门下了很大工夫，根据掌握的地质资料，可以合理而偏安全地推定小湾可能的触发地震震级，对大坝的影响完全在掌握之中。

记者：我们希望了解大坝的使用寿命；一座废弃的水坝失去了它的功能，是否还会污染环境或破坏生态？

答：水坝如人也有寿命，但这是个很复杂的问题，不能笼统说一座坝有多少年寿命。早年修建的小土坝技术水平低，寿命必然短。如果按现代的科学技术设计施工，维护良好的水坝，运行时间就很长了。我们常说百年大计，水坝寿命就不止一两百年。如三峡、小湾这样的现代化工程，至少能运行上千年，要知道，两千多年前的都江堰水利工程现在还在运行啊。

废弃水坝应该拆除，但库区淹没地区在水排空后，短时间内还无法恢复原貌。

记者：澜沧江水力资源开发对当地、云南省和国家有什么意义？

答：澜沧江是水电资源比较富集的一条江，开发条件有利，开发成本低，是云南省很宝贵的资源，应加快开发澜沧江。

澜沧江开发首先拉动了当地经济的快速发展。交通畅通了，特色产品有销路了，库区人民就业机会也多了，过去许多很难开展的工业、农业及第三产业都能蓬勃发展；其次，电站建成后，源源不断地为省内工业、农业提供电源，将电力输送到华南、华东地区，还为云南省增加大量利税；我国资源分布不均匀，常规能源非常短缺，经济发达的广东、华东、华中地区尤其欠缺，澜沧江和云南其他水电能够迅速集中开发，支援东部和南部，这对于改善国家能源结构、推动我国经济发展意义重大！

总之，开发澜沧江有利于当地，有利于云南，更有利于全国。

十年回首话三峡

——写在三峡工程蓄水时

经过半个世纪的规划、论证和十年的艰苦奋战，举世瞩目的三峡工程迎来了蓄水、通航、发电的收获期。"更立西江石壁，截断巫山云雨，高峡出平湖"的美丽梦想终于在新世纪初成为现实。全国人民为之欢欣鼓舞，也成为全世界的热门话题。

三峡水利枢纽是当前世界上最大的一座水利工程，大概也没有其他哪一座工程经历过如此漫长的研究论证过程，经受到国内外如此多人的质疑与反对。在国内，1985年中央和国务院原则批准兴建三峡工程(150m方案)后，立刻引起地方政府、专家学者和民主人士的异议，以致中央和国务院在1986年决定搁置建设计划，重新开展空前范围和深度的"可行性论证"。412位专家和几十位顾问参加了论证，直接间接参与的单位、部门、专家更难计数。花了近三年时间，到1989年才得出最后结论。有9位专家、顾问拒绝签字，而且写出书面意见。此后，又经过三个年头的汇报、考察和国务院审查，于1992年由国务院提交议案请全国人大审议。人大表决时，有177票反对，664票弃权，以超

注：本文写于2003年6月三峡水库蓄水后，作者曾以此内容做过几次报告，并发表于《群言》2003年第8期。

过 2/3 的 1 767 票赞成通过了兴建三峡工程的议案，画上了论证阶段的句号。一座工程的兴建，经历如此漫长的岁月和众多的波折，不说"绝后"，也是"空前"的了。

在工程蓄水、通航、发电前夕，经常有同志采访我，要我重新评述十年前论证中的分歧和目前的现实情况。我认为，三峡工程尚未完建，还不是做评价的时候，有些问题甚至要经历数十年的验证才能得到较确切的结论。但有的同志说，既然工程的效益和影响是逐步发挥、体现的，对它的评价为什么不能逐步地进行呢？这样，应《群言》之约，乘三峡工程蓄水之机，我回忆一下论证中的主要议题和自己目前对这些问题的初步认识，以答谢有关同志的盛意，也就正于专家们。

在论证中，一些专家和社会各界对三峡工程提出多方面的意见或质疑，难以尽举，但大体上可分为以下几类：一是对工程效益的质疑；二是对国力能否承受的质疑；三是百万移民的安置问题；四是泥沙淤积问题；五是修建工程引起的生态环境问题；六是坝址、库区的地质问题；七是中国科技水平能否解决设计、施工、制造等问题。现顺序加以回顾。

一、对工程效益的质疑

三峡工程的主要效益为防洪、发电和通航，其中对防洪效益的质疑最为集中。一些专家认为三峡防洪库容(与洪水总量比)有限，长江流域的洪灾情况又十分复杂，三峡水库并不能有效解决长江洪灾问题，甚至认为是舍上救下，将加剧四川的洪灾。

长江洪水量大峰高，30 天的洪量可达一千多亿立方米，三峡防洪库容 221.5 亿 m^3，能不能起作用呢？三峡水库需完建后才能充分发挥防洪效益，现尚未经考验，但似可用 1998 年的长江洪水进行参考验算。1998 年长江发生全流域大水，前后出现 8 次洪峰，荆州市最高水位达历史最高值 45.22m，百万军民上堤抢险死守，中央已决策开闸动用荆江分洪区分洪(区内数十万人民已紧急撤离)，后由于及时预报、动用上游水库滞洪和温家宝副总理的英明决策，避免了分洪。这场洪水扣紧了全国人民的心弦，也给国家人民造成重大损失。当时所能调用的水库库容十分有限，但对削峰错峰起了很大作用(例如第六次洪峰到来时，荆州市水位猛涨到 45m，依靠紧急调用隔河岩水库的 4 亿 m³ 库容和葛洲坝水库的 0.5 亿 m³ 库容把荆州市水位压低 0.27m，使最高水位未超过 45.22m，避免动用荆江分洪区)。如果三峡水库已建成，有 221.5 亿 m³ 库容可供调蓄，其能化险为夷，殆无疑义。

其实 1998 年洪水虽历时长、总量大（相当于 30 年至 100 年一遇重现率），但洪峰流量并不高，宜昌最大洪峰仅 6.33 万 m³/s，只相当于 7 年一遇，称不上世纪洪水。近代发过的百年乃至千年洪水，宜昌流量可达 8 万 m³/s、10 万 m³/s 乃至 11 万 m³/s。遇到这种洪水，动员更多军民上堤也无法避免大堤全面溃决，不但将造成无数人民伤亡，大江南北一片汪洋，数十年建设成果也一扫而光。三峡水库要对付的是这种灾难，是要避免发生这种"毁灭性灾害"，然后才考虑如何调蓄较小洪水。它并不是用来解决中下游和所有支流一切洪灾问题的。

现在三峡水库将要建成，两岸大堤已得到全面加固加高，下游河床将被刷深，平垸退田正在进行，上游及支流大量水库正在和即将兴建，长江防洪形势已进入全新历史阶段。我认为现在已不必讨论三峡水库的防洪效益问题，而是全面研究新形势下各项防洪措施如何科学配合、统一调度，较完善地解除长江洪灾这个心腹之患的时候了。

二、关于国力能否承担的问题

三峡工程需要的投资很大，建设期较长，因此一些同志认为国力难以承受。有的同志甚至认为三峡工程的上马将引起物价飞涨、经济崩溃。有的专家认为三峡工程的总投资将达 5 000 亿元，甚至是个"无底洞"。还有些同志担心上了三峡工程将影响全国水电甚至其他经济领域的发展。

十年建设实践证明，上述问题都不存在。三峡工程的兴建，不仅未引起物价飞涨和经济崩溃的恶果，而是有力地拉动了内需，促进了经济的发展，解决了大量就业问题，宜昌和库区更受益匪浅。三峡工程的动态总投入(枢纽和移民)可望控制在 1 800 亿元以内，不仅能按计划还本付息，而且有强大的竞争实力和开发后劲。还要指出在这段时间内，全国水电得到从未有过的高速发展。以三峡和葛洲坝电厂为依托，我们已经向开发金沙江上更大的水电宝藏进军！

但这不说明当初那些专家的担心没有根据。论证时，基本建设"过火"和"重复建设"现象严重，物价涨幅较快，国民经济处在困难时期，经济体制改革刚刚起步。如果这种局面不能改观，不仅三峡工程的命运难卜，整个国家也将前途堪虞。在中央的正确政策指导下，国务院采取了一系列有力措施，调控大局、理顺关系、稳定物价，中国的经济建设和国力增强就以超出人们想象的速度发展。尤其是实施社会主义市场经济模式，采用与国际接轨的现代化建设管理体系，拓宽集资渠道后，一切根据计划经济时代经验所做出的判断就完全脱离形势了。

三、百万移民问题

根据论证时的资料，三峡水库淹没区人口 72.6 万，考虑人口的各种增长因素，推算到竣工(2008 年)需动迁 113 万人。百万移民是全球罕见之举，而且以往我国移民遗留问题不少，能否解决好移民问题实为成败关键，理所当然成为论证中研究的焦点。

为做好这项工作，论证中采取了专家和地方政府结合的方式。地方上动员 400 名干部和上千名人员参加。根据"开发性移民"方针，提出各项措施，调查库区资源，制定安置规划，列入充足资金，力求做到"迁得出、稳得住、逐步能致富"的要求。应指出：三峡移民中一半以上是城镇居民，只要城镇企业能妥善迁建，这些移民较易解决，重点是农业人口的安置。后者依靠开发宜垦荒地、改造低产田、发展大农业和多种经营来安置。

目前，在二期工程结束时，135m 水位以下的移民安置任务已全部完成，共动迁 72.2 万人。城镇企业已基本迁建好，农业人口除在区内安置外，外迁了十余万人。

迁建后的城镇功能、条件较迁建前大有改善。迁建的企业都作了结构调整和产品升级换代，或通过技改、联合、兼并等途径进行改造，没有前途的作了破产关闭处理。农村移民人均耕地、园地达到规定标准，安置补偿资金全部兑现，安置区内各种条件满足移民生产生活需要，并较动迁前有明显改善。

从上述情况看，我们相信百万移民是可以安置好的。三峡工程正常运行后，经济效益很大，还可以继续扶植库区经济的发展或解决个别移民的困难，使兴建三峡工程成为库区和移民经济上翻身的重大机遇。

必须指出，取得上述成绩除库区人民和政府做出的贡献外，还有赖于中央和全国的支持：制定开发性移民方针，落实移民资金和各项措施，成立专职机构，组织对口支援、根据实际情况对移民安置规划进行调整(增加外迁人数)等。各发达省区和著名企业也做出重大努力，这是一曲共产主义大协作的凯歌。而我们在早期论证工作中，对某些困难估计不足，农村移民几乎都在库区安置，某些项目的资金安排不够等，都存在缺点。专家和社会各界的意见，无疑起了很好的警示和推动作用。

四、泥沙淤积问题

通过三峡的长江输沙量达 5.3 亿 t／年，不少同志对此深为担忧，认为建库后会很快淤满，失去功能，难以处理。库尾泥沙淤积还会抬高重庆洪水位，影响港口和航道。还有同志悲观地认为，由于人类活动，长江泥沙量在不断增加，将变成另一条"黄河"。

鉴于泥沙问题的复杂性和重要性，论证中将它作为一个独立的专题，其专家组成员几乎囊括了国内所有权威专家，著名的有关科研院所和高等院校都参与了工作，在以往大量工作的基础上，补充了许多试验、计算和分析研究。最后的结论得到全体专家的同意：①由于三峡是河道型水库，采取蓄清排浑的运行方式，经过长期（约80年）运行达到冲淤平衡后，绝大部分有效库容(85%～92%)可以长期保留；②在运行后期（如100年后），库尾将发生淤积，会抬高重庆的洪水位 1～3m，不会对重庆主要市区的防洪有影响；③库尾淤积后会影响码头作业，在特殊年份会短时影响航道，可以采取优化水库调度、疏浚、采取工程措施和结合港区改造来解决。

论证后又经过了十多年，泥沙的调查、试验、分析工作一直在全面深入进行，弄清和落实了更多的问题。新的情况是：①不存在长江输沙量不断增加、将变成另一条黄河的情况；②长江上游水土保持工作正在有效和持续地进行；③金沙江梯级开发已经启动，上游将兴建更多大库，大大减少三峡水库进库沙量；④工程严格按照一次建成分期蓄水原则进行，有验证、分析和调整余地，一些专家提出了优化调度的建议；⑤投入巨资，进行蓄水前后泥沙情况的全面深入监测与分析。总之，没有出现需要改变主要论证结论的情况，而是向更有利、更明确的方向进展。当然像泥沙运动这样复杂的问题，绝不能掉以轻心，运行后必须抓紧监测、分析和试验计算，根据研究成果指导运行。我深信，通过三峡工程的实践，我国将涌现一大批高水平的泥沙研究成果和年轻专家，在国际上处于领先地位。

五、生态环境影响

三峡建库后，将对生态环境产生广泛而深远的影响，包括正面的作用和负面的影响。国内外有很多人都曾以三峡工程将严重破坏生态环境为由而持反对意见。

生态环境的影响面涉及范围很广，因此论证专家多达55人，在两位顾问和四位正、副组长领导下开展工作。顾问、组长以及绝大多数专家都来自科学院和生态环保部门。三年中，专家组对所有有关问题进行了全面深入的调查研究及讨论，最后除一位顾问外，全部专家签字通过了论证报告。

论证报告详细和实事求是地分析了三峡建库对生态环境产生的正、负面影响，指出负面影响主要发生在库区，并细分为三种类型：①不可逆转的影响，例如淹没部分耕地、古迹、文物，改变一些景观等；②影响较大，但可以采取措施予以减轻的，例如移民过程中产生的问题，对珍稀物种的影响，引发库尾洪涝灾害以及滑坡，触发地震等；③影响较小，可采取措施减少危害的，例如对局地气候和一些水文因素的影响，对陆生动物和植物的影响，水质污染的影响等。此外，还有一些潜在或目前难以预测的影响，如对上游水生生物、对长江口及邻近海域、对区域的自然生态—社会经济系统的长远影响。

报告最后指出，多种影响中，库区移民环境容量是制约因素，并提出了多项建议。

三峡工程在实施中，尊重和遵照专家组的意见，充分重视保护生态和环境，例如迁建古迹，发掘文物，调整移民安置规划，加强水库清库和防治源头污染，保护和人工繁殖珍稀物种，迁移一些古树。施工现场也做到环境优美，文明施工。今后还将进一步做好环保工作，加强各类监测，充分发挥正面效益，包括恢复洞庭湖的青春，使三峡枢纽成为一个"生态环保工程"。

六、坝区和库区的地质问题

论证中也有人对三峡工程坝区和库区的地质情况有怀疑，认为存在着重大缺陷或隐患。

坝区范围不大，问题容易查清。尤其经过十年建设，完全证实多年来的勘测结论：坝基为新鲜完整的花岗岩，工程地质条件优越，地震基本烈度低，是一个优良的坝址，不存在未查明的重大隐患。这个结论没有人提出异议。

争议较多的是库岸稳定和水库触发地震问题。水库两岸多为基岩岸坡，总体稳定条件较好。稳定条件差的库岸仅占库岸总长的1.2%，这里存在一些崩塌、滑坡体，在建库前，就经常发生失稳情况，甚至堵塞航道，蓄水后会继续发展和失稳。对较大的滑坡体都进行了勘查、计算、监测或加固。蓄水后水深增加，水面增宽，滑坡体体积有限，下滑后不会影响有效库容和航道。这些滑坡体分散在距坝址26km以上的库段内，滑坡激起的涌浪也不会影响坝的安全。这些论证结论在十多年后均无变化。主要问题是在移民过程中要防止把城镇、企业和居民迁移到不够稳定的岸坡上去。在实际工作中确实发生过有关部门不重视地质工程师意见的情况，以致重复迁建，给国家造成损失。这一教训应认真吸取，并在蓄水后加强检查监测，确保安全。

关于水库蓄水后是否会触发地震及其可能的震级问题，取决于库区的地震地质背景。库区是区域地质较稳定地区，并无巨大的发震断裂，最可能发生地震的是距坝址约30km和100km处穿越库段的两条不大的地震带。从高估计，水库触发地震的最高震级为5.5级。即使假定在距坝址最近的九湾溪断层发生6级触发地震，对坝址的影响烈度也不超过6度，远低于设防烈度。上述意见是地质专家的一致认识，至今也没有任何改变。目前库区已建立了触发地震监测系统，布设了遥测地震台网，正式投入运行，可以满足监测、分析和预报所需。

七、对中国科技水平的质疑

三峡工程是目前世界上最大的水利水电工程，在修建过程中，无论是设计、施工、制造、管理各方面，都面临一系列困难和挑战，某些问题的难度甚至超过当前国际水平，如双线五级船闸、大江截流、二期围堰、三期RCC围堰、超记录的混凝土施工强度、巨型金属结构、70万kW的水轮发电机组等。一些外国人认为没有西方的支持，中国不可能建设三峡工程。我们有些同志也怀疑，中国作为一个发展中国家，其技术和管理水平能否解决这些问题，担心上马后工期拖长、质量低劣，陷入被动。

十年建设成果回答了这个问题：中国人民能够依靠自己的力量建设起这座宏伟的工程，做到质量优良、工期提前、投资节约、管理先进、环境优美，取得近乎完美的全面胜利。

八、论证工作的民主性问题

有些人（尤其是境外的某些人）长期以来宣称：三峡工程是中国少数领导好大喜功、要为自己树碑立传、不顾国力民意强行上马的项目，论证工作受人操纵，论证是不民主的、暗箱操作、压制不同意见等，这是歪曲事实、颠倒黑白的谎言。

我参与了论证工作的全过程，"领导"从来没有来干预、过问、指示过什么。如果一定要问有什么"内部指示"，那就是反复要求我们虚心听取一切意见，营造宽松气氛，不要囿于过去成果，做出实事求是的结论。

具体论证工作由 14 个专家组在组长和顾问主持下独立进行。"论证领导小组"只起组织、协调、综合和服务作用。专家组结论由全体专家来下，这些专家都是权威的、严肃的一流科学家，对签字认可的结论是要负责到底、经受历史考验的，"领导小组"没有也不可能影响每位专家的独立思考。

论证中，各种意见得到充分的发挥，有些不同的意见不仅在会上反复阐述，还在报刊上（包括境外）自由发表，或印成书册广泛发行。综合性的会议都邀请新闻媒体参加和报道。对结论有不同意见的可以拒签，并另写书面意见，作为论证内容全部保存、发表和上报。

尤其对生态环境、移民、泥沙这些讨论热点，专家组的领导和成员都是有关学科的学术带头人、行家和地方一线同志。以生态环境为例，两位顾问、四位正副组长和绝大多数专家都是研究生态环境问题的科学家，他们就工程对生态环境所有领域的影响，作了透彻的分析，提出了各种问题和建议，但一致的意见是：不存在影响三峡枢纽成立的生态环境问题。即使是拒签的那位顾问，在他的书面意见中，也只是罗列大量项目，认为研究得还不够，需要进一步调研，三峡工程的上马，应慎重考虑。没有提出究竟哪一项影响是致命的。其他泥沙、移民的报告都经全体专家签字确认。像这类关系重大的课题，如果确实存在不可行的因素，专家们是决不会签字的，"领导小组"更是无法左右局面的。

论证工作结束后，1990年7月6日至14日，国务院召开了长达9天的会议，听取论证汇报和开展讨论，出席的有各部委、各民主党派、政协、地方政府、学术团体、各专家组的负责人，76人表达了他们的意见。最后姚依林同志根据多数意见下结论说：论证工作做到了民主和科学，可行性报告是有说服力的，同意提交国务院三峡工程审查委员会审查。以后国务院又另外组织了一百几十位专家进行了长达一年的审查，通过后才提交人大审议表决。对一个工程的兴建，进行了如此漫长细致的工作，"技术民主"和"慎重决策"两者可以说是做到了家！

回首前尘，"论证"已过去了十多年，三峡大坝已巍立于大江之上。十年建设过程用事实逐步证实当年论证结论符合客观实际。现在工程尚未完建和全部发挥效益，我相信，通过今后的实践，论证结论还会得到进一步和更完美的证实。实践是检验真理的惟一标准，实践也将答复论证工作是否民主的问题。

三峡工程答疑录

——答《神州学人》记者问

大坝安全，确有保证

　　记者：三峡工程质量一直是大家非常关心的问题，前些时候曾有大坝发生裂缝质量事故的报道。您在 2003 年 5 月大坝工程验收会上，还提到了大坝纵缝张开和临时船闸坝段有"较大水平位移"等问题。于是，许多人对大坝的质量表示了深深的忧虑。您认为，这对大坝的安全会带来什么样的影响？

　　答：三峡二期工程的质量是良好的。整个工程符合设计要求，满足国家、行业的标准和规范，不存在隐患，能安全运行，我对工程质量没有任何担心或忧虑。

　　关于大坝裂缝问题。大坝裂缝有不同类型。有一种是贯穿性的裂缝，破坏大坝结构的整体性，影响大坝安全。这种贯穿性裂缝在三峡大坝一条也没有。另一种发生在大坝表面，较细较浅。三峡大坝有这种表面裂缝。产生表面裂缝的因素是多方面的，有的是由于施工原因，如冬天没有把大坝表面保护好，产生温度裂

　　注：本文为作者答《神州学人》记者问的记录稿，焦红方、李永立同志整理，发表于该刊 2003 年 8 期。

缝；有的是设计原因。

表面裂缝一般对大坝的安全没有影响。但是对大坝上游面的垂直表面裂缝要特别注意，因为蓄水后水会渗进去，产生不利影响。三峡大坝约有80条这类裂缝，都做了非常细致的处理，可以保证蓄水以后不会渗漏。因此，对大坝的安全没有影响。

关于我在验收会上的发言中，对参建各方提出过一些要求和希望，包括要求对某些还没有从理论上完全解释清楚的现象作进一步研究，并不是认为这些现象影响大坝安全，而是希望我国的坝工科技水平能有进一步的提高。我主要提出两个问题。

一是"纵缝张开"问题。"纵缝"是坝工中的一个术语，指为了适应施工，在坝体中人为设置的接缝。国际上通行的做法，是坝体混凝土浇妥并在温度下降到"稳定温度"纵缝张开后，进行接缝灌浆封堵。三峡工程是完全按照这一做法进行的，而且控制得很严格，灌浆质量优良，没有可以指责的地方。

在三峡大坝中，埋设了很多仪器，通过仪器监测，发现有些纵缝在灌浆后有张开现象，尽管张开量非常小(1mm左右)，而且是局部现象，经初步分析并不影响大坝安全，但我要求有关单位继续进行深入研究，进一步查明原因和影响。现已初步认定这是由于蓄水前上下游坝面受气温变化产生的，并无大的影响。

三峡工程严格按国际通用方法施工，而纵缝重新张开，这是一个新发现的问题，说明重力坝的传统设计理论还需发展。显然，其他重力坝也存在同样的问题，只是没有设置仪器，未观测到这一现象，或坝高较低，开张度更小而已。三峡工程的建设将对坝工理论的进展做出贡献。

有些人把"纵缝"想当然地理解为"垂直的裂缝"，而认为三峡大坝已发生了大问题，这是由于不理解坝工专业而产生的误解，不必理会。

另一个是临时船闸坝段的水平位移问题。二期工程中，船舶要通过临时船闸航行，临时船闸好像是大坝中留着的一个缺口，缺口两边的坝段已浇到顶，与缺口间有很大的高差，这些坝段的地基又是倾斜的，因此坝段在自重作用下，向缺口方向产生一些侧倾，在坝顶产生较大的水平位移是正常的(所谓坝顶最大水平位移，也不过是 1cm 左右，如果坝体高 100m，倾斜度只有万分之一，任何人都看不出来)。现在，临时船闸已完成历史使命，缺口已经回填，改建为冲沙闸，根本不存在安全问题。

我是在分析"水平变形"的发展过程中，看到它在 2002 年冬季变形增加了 1mm，尽管这已经在观测误差范围之内，我仍然把它提了出来，建议设计单位作进一步探究，看看这 1mm 的变位是否与地基内的断层有关，可以说是一个科研题目吧(如果最后认定这 1mm 是观测误差，当然就不必做什么研究)。我没有料到这样一件事也会被一些人炒作，甚至提高到影响大坝安全的高度。请允许我澄清一下，这"水平变位"问题根本与大坝安全无涉。我作为一个科学家、一个工程师，对即使不影响安全的问题，也希望能了解其机理，我所说的和想做的，就是这么一回事。

记者：有人说："从有可能发生战争考虑，不应该兴建三峡工程。"作为一项巨大的水利枢纽工程，拥有一个库容为 395 亿 m³ 的大水库，毕竟不同于一般的民用建筑工程，这样的想法应该不无道理。这也是社会各界人士极为关心的问题。我的问题是，万一发生战争，三峡大坝会不会因遭受袭击而溃决呢？一旦大坝溃决会不会使下游发生洪水灾害呢？那么，三峡工程是如何考虑防空的呢？

答：三峡大坝是一座坚固的混凝土重力坝，经受得住常规武器的袭击。在三峡大坝设计时，已按照平战结合和经济合理的原则，采取了一些有利于提高大坝抗爆能力、减轻破坏程度的工程措施。因此，三峡大坝防空研究的重点是如何对付核武器的袭击。对于三峡工程来说，对付核武器袭击最有效的手段，是能在短时段内将水库从高水位降低到安全水位，也就是通常说的放空水库。

三峡大坝设计泄流能力很大，特别是设置了许多深孔，在低水位时仍有相当大的泄流能力；在汛期，防洪限制水位为145m，根据需要，可以进一步降低库水位，并在5~7天内降到安全水位。

三峡工程论证时，防空专家指出，现代战争特别发生核战争总是有征候可察的，这就为三峡工程在必要时降低库水位赢得了时间。

为了认真研究三峡工程大坝万一遭受核武器袭击而溃决后的水灾影响范围，水利部长江水利委员会花费了几年时间，精心进行了三峡工程大坝溃坝水工模型试验。通过试验，得出两个规律性的认识。一是三斗坪大坝至南津关之间为长38km的峡谷段，其间莲沱至南津关长约20km的峡谷段，一般谷宽仅200~300m，两岸岩石陡峻，大坝上下游的峡谷对溃坝水流有相当的约束作用，限制了溃泄流量，延缓了下泄时间。二是溃坝水流总量是水库内蓄存的水量，与天然洪峰水量相比，是有限的。

溃坝洪水的演示过程表明，溃坝洪水灾害影响范围为临近大坝下游的局部性灾害，影响不了荆江大堤。有人说溃坝洪水灾害将影响到武汉甚至更远，是缺少科学根据的。

记者：三峡工程蓄水是否会诱发地震？地震对三峡大坝安全

是否会造成影响?三峡工程在建设过程中采取了哪些应对措施?

答:三峡大坝坝址选在三斗坪,其原因之一就是:该地属于花岗岩地质结构,岩性均一,岩体完整,力学强度高,坝址所处的地块,是一个稳定度高的刚性地块。以坝址为中心,半径320km范围内近2 000年历史记载证明,区内地震水平不高,强度小,频度低,属典型弱震环境。在库区的庙河至白帝城库段,有两个地震带穿越库段,具备发生水库触发地震的地震地质背景。可能发生断层破裂型地震的地点有仙女山断裂——九湾溪断裂(交汇处距坝址18km)、建始断裂北延与秭归盆地西缘一些断裂的交汇部位(距坝址60km)。这些断裂均属弱活动断裂,本地段触发地震的可能最大震级,综合考虑,上限在5.5级左右,不致超过6级。

三峡水库触发地震对三斗坪坝址的极限影响,按下述最为不利的条件考虑:假设蓄水后每一个潜在震源区都可能触发地震,震中位于距坝址最近的发震断层处,强度达到可能最大震级,按地震衰减规律,确定对坝址的影响烈度,取其中最大者,作为坝址可能经受的极限烈度。这个方法是评价核电站地震烈度的方法,具有很大的安全裕度。在三峡工程论证中,地质与地震专家组确认,按最不利的情况考虑,三斗坪坝址处地震烈度也不超过6度,大坝按7度设防,完全能够抵御。

记者:据有关部门勘测,三峡库区范围内共有大、中、小型崩滑体2 490处,其中直接受水库蓄水影响的就有1 627处。请问,这些崩塌、山体滑坡是否会落入水库,对长江航运产生影响?产生的涌浪是否会影响大坝的安全?

答:三峡水库蓄水后,坝前水位抬升100m左右;至涪陵的常年回水区江段,水位抬升10m到数十米,江面宽度有所增加,所以，即使有大、中型崩滑体失稳滑入水库中，由于水库水深比长江天然状态时的水深增加很多，仍能保证航运所需的水深，不会出现历史上因滑坡影响航运的情况。

至于是否影响大坝的安全，以新滩滑坡为例来说明一下。该滑坡是距离三斗坪坝址最近的一个大型滑坡。1985年6月12日发生滑动时形成的涌浪，在对岸的最大爬坡高度达49m，但向上下游衰减很快，滑坡下游11km处涌浪仅0.5m，至三斗坪坝址涌浪影响已难以察觉，因此滑坡涌浪不会对三峡大坝造成任何危害。

淹没重庆？无稽之谈

记者：兴建三峡工程对生态与环境的影响也引起了世界范围的瞩目。那么，它对生态与环境主要产生哪些不利影响？应采取哪些对策？

答：论证中，生态与环境专家组就三峡水库蓄水运行后对生态环境的不利影响进行了慎重、细致而又充分的论证。得出的结论是，三峡水库蓄水运行后，对生态环境的不利影响主要在库区。这主要表现在以下几个方面。

一是会加剧库区原已比较尖锐的人多地少的矛盾。三峡水库正常蓄水位175m时，淹没耕地和园地2.4万 hm^2；移民安置区内的城市、县城、集镇、农村居民点、工矿企业需迁建，公路等专业项目要复建，还要占用4 600多公顷耕地和园地。这就加剧了三峡库区原已比较尖锐的人多地少的矛盾。如果没有恰当而有力的措施，只坚持就近后靠，只在扩大耕地和园地上下工夫，势必造成大面积毁林开荒、陡坡种植，造成新的水土流失，进一步使生存环境恶化，农村移民不但无法致富，还给库区经济的进一步发展造成困难。如何做到既要使农村移民"搬得出，稳得住，逐步能致富"，又要保护好库区的生态环境，促使库区的生态环境向良性循环转化，成为消除三峡工程对生态环境不利影响的第一项重要任务。为此，对移民安置作了慎重规划，实行开发性移民方针，防止因移民而环境恶化。实施中，国务院还调整规划，加大外迁力度，推行对口支援，现已有72万移民得到妥善安置。

二是会使三峡库区局部江段的水质污染进一步加重。三峡工程建成之前，库区局部江段的水质就已污染，但由于长江水流的流量大、流速快，自净能力强，后果还不严重。三峡水库蓄水后，水库内的水体流速减缓，如不及时对各种污染源进行治理，大量工业废水和生活污水仍然排入长江，局部江段水质污染必将进一步加重，甚至威胁城镇生活用水的水源地。因此，对生活污水和垃圾要进行硬性的限期治理，以消除三峡工程对生态环境的不利影响。只要我们坚决执行上述规划和措施，加上三峡水库蓄清排浑的调度运用，三峡水库不可能成为"一库污水"。

三是三峡水库蓄水后，将使西陵峡上半段以及一些支流上低山形成的峡谷的景观有些改观，还将使淹没区内的地面文物和地下文物被淹。因此，做好三峡库区景观保护和开发规划，并对地面和地下文物进行抢救性保护和发掘，成为消除三峡工程对生态环境不利影响的又一项重要任务。从实施情况看是令人满意的。古迹得到保护搬迁，文物得到发掘，旧的景观仍在，新的景点涌现，三峡将成为旅游胜地。

记者：有些人写文章并到处宣扬，说根据蓄水后的水位上升，通过计算，三峡水库蓄水至175m后，重庆的水位要达到217m，将被淹没。请问潘院士，是否有这样的危险？

答：这完全是混淆是非的无稽之谈。

水库蓄水后，从坝前到库尾，水面的坡度非常平缓，基本上是"波平如镜"。要到接近库尾时，水面才有轻微抬升(俗名翘尾巴)，最后与上游的天然水面平顺衔接。在库尾的这一段水面，呈曲线形，就是所谓的"回水曲线"。只要坝前的蓄水位和从上游下来的流量已知，回水曲线是可以相当精确地计算出来的。移民线就是根据按某一洪水流量计算的回水线加上一定裕度确定的。对三峡这样的大工程，回水线经过反复校核，采用的计算参数都有可靠根据，不可能出现巨大误差。总之，水库库面既不是平面，也不是一条斜线，而是一条先平后翘的曲线。

有些人，以坝前蓄水位175m起，按照某个"水力坡度"算到600km外的重庆，断言水位要达到217m，城市将被淹没，"要为城市办后事"，这简直是天大笑话和造谣污蔑。这只能说明这位先生对水力学连一点最起码的常识都没有，也根本不知道回水曲线是怎么回事。

我希望广大群众特别是库区人民要相信科学，相信工程师的计算，相信有关部门和政府的层层审查，不要相信那些毫无根据的谣言。也希望媒体能勤加访谈，宣传科学，不起误导作用。

投资：1 800亿元人民币能打住
发电、防洪、航运效益巨大

记者：作为一项举世瞩目的巨大工程，它的投资额度历来为人们所关注。我们注意到，在不同的时间，不同的场合，包括您在内的一些权威人士对这个数字有不同的说法。比如您2003年6月份在接受某媒体记者采访时说，不包括输变电工程，三峡工程的静态投资是900亿元人民币，加上动态投资，"1 800亿元肯定能打住"。而以前，某些人的说法并不是这个数。这是怎么回事?您能否为大家作一解释?

答：对于一个工程的投资数，首先要分清是静态投资(不计物价变化影响，不计需支付的利息)还是动态投资。对于静态投资，还要看是按什么年份的物价计算的，把不同概念的事物混在一起比较，是不科学的。

三峡的投资由枢纽工程、移民、输变电组成(一般水利水电工程的投资只指枢纽和移民)。我参加论证时，枢纽和移民的静态投资按1986年物价水平是299亿元，包括输变电，是361亿元。按1990年的物价是570亿元。80年代后期和90年代上半期是物价最不稳定的时期，所以到1993年三峡工程开工时，按当时物价水平，枢纽和移民的静态投资为900亿元，这完全是受物价影响，工程量、移民量并没有显著变化。从1986年到1993年，物价上涨3倍是完全可以理解的事。

900亿元投资要在18年中使用，每一年都得筹集资金和支付利息，因此到竣工时，所花的钱就不是900亿元，而是另外一个数（动态投资）。计算动态投资，必须对每年物价涨幅、资金来源、每年利率水平等做些假定。在开工时根据当时情况做出动态投资估算，约需2 039亿元，工程实施中，资金就按照"静态控制、动态管理"的原则进行控制管理。

现在二期工程结束，总共已花投资(枢纽、移民、利息)约900亿元，目前估计，到竣工总的动态投资不会超过1 800亿元。

记者：既然有如此巨大的投资，就要考虑产出的效益。请问潘院士，三峡工程运行后，它主要会带来哪些效益呢?

答：三峡工程将在发电、防洪、航运等方面给中国带来巨大利益。

现在已经达到的 135m 蓄水位只是三峡工程围堰发电期水位，是三峡蓄水的第一步。按照分期蓄水的设计规划，到 2006 年水库蓄水的水位将达到 156m，最终抬高至 175m。选择 175m 为最终蓄水水位，专家们用了 30 多年时间反复论证，以协调三峡工程防汛、发电和航运之间的要求和付出的代价。至于初期蓄水位确定为 135m，主要原因是现在右岸导流明渠是通过围堰挡水的，围堰挡水工程不能过高。

现在围堰顶的高程是 140m，水位蓄到 135m，一方面可以满足初期发电和通航的需要，另一方面还有 5m 的安全余地。

发电方面。2003 年将有 4 台机组陆续投产发电，到年底这 4 台机组的发电量将达到 55 亿 kW·h。如果 3 角钱 1 度电的话，就可以回收 10 多亿元的资金；如果每度电能够产生 5 元钱的产值，就可以创造 270 多亿元的产值。然而这一切还仅仅是开始。从 2003 年开始一直到 2009 年，三峡工程每年都将有 4 台机组投产，等于每年增加一个葛洲坝电站。当全部 26 台机组投产后，三峡年均发电量将达到 847 亿 kW·h，这些电量可产生巨大的经济效益，并减少每年 5 000 万 t 燃煤引起的污染。

防洪是三峡工程重要功能之一。目前 135m 的蓄水位，离围堰顶 140m 高程还有 5m 的距离，这部分的库容有 23 亿 m³。在三峡工程的施工阶段，并没有考虑发挥防洪的作用。但是如果遇到大洪水，要求临时拦蓄一下，我想也是理所当然的。到 2009 年三峡工程建成后，防洪库容将达到 221.5 亿 m³。在汛期到来之前，三峡水库将腾出这个防洪库容，按照规划发挥巨大的防洪效益，避免下游荆江地区发生毁灭性灾害和大大减少分洪区的使用机会。

航运方面。660km 的宜—渝江段落差 120m，有滩险 139 处，单向航段 46 处，重载货轮需牵引段 25 处，年单向航运能力不足 1 000 万 t。三峡建坝后，将淹没所有滩险、单向航段和牵引段，航道将平均扩宽至 1 100m，万吨级船队将通江达海，航运成本可降低 37%，年单向航运能力将超 5 000 万 t。长江将真正成为横贯中华东西大地的黄金水道，对发展和繁荣长江两岸至沿海地区经济，必将起如虎添翼的效应。

其他方面的效益就不必一一细谈了。

工程进展：2009 年全部竣工

记者：三峡工程建设预计需要 17 年的时间，分三期施工。1995 年到 1997 年为准备工程和一期工程阶段，1998 年到 2005 年为二期工程阶段，2005 年到 2009 年为三期工程阶段。到现在为止，二期工程已经完成，三期工程还有哪些重要建设？

答：现在二期工程结束，工作量约完成了 2/3。三期工程建设的主要任务有：完成右岸厂房坝段和右岸非溢流坝段、右岸电站厂房的混凝土浇筑及相应的金属结构安装，左右岸电站全部 26 台机组的安装，全部输变电工程，建成垂直升船机，拆除碾压混凝土围堰和三期下游土石围堰，封堵河床泄洪坝段的导流底孔等。到 2009 年，三峡工程将全部完工。三峡工程已不存在新的重大技术问题，中国人民必将取得三峡工程最终的全面胜利。

总得有人吃第一只螃蟹

——谈水利科技创新

　　我从浙大土木系毕业后，就参加祖国的水电建设，转瞬已五十多年了。新中国的水利水电事业是我毕生的事业。如果要我总结一点经验的话，我认为作为一名科技人员首先应该有锐意创新的精神。因为，干事业贵在创新，创新是发展的灵魂。

　　对于水利这样的传统学科和工程，最怕的是墨守成规，固步自封，照搬照抄，不求创新。有一位工程师曾坦率地讲过，做设计不难，抄抄类似工程图纸，并加大点安全系数，多浇几方混凝土，多放几根钢筋就不会有事。这样做，表面看确实少担风险，稳妥可靠，但将堵塞科技发展之路，遏制新生事物出现和成熟，违反历史进步潮流，最终将严重影响水利建设的进展，我们不能走这一条路。

　　也许是天性使然，从参加工作之日起，我就不愿受条条框框的限制和权威的约束，总想搞点新的名堂，来点"突破"。在设计我国第一座双曲拱坝——流溪河拱坝时，我力主在拱坝坝顶挑流泄洪，甚至不惜冒政治风险与苏联专家对抗。在设计新安江工

　　注：本文应《求是》杂志之约而写，全文经李永立同志整理，刊载于《求是》2005 年第 5 期，发表时有删节。

程时，手中有了一点儿权，而且时值"大跃进"，搞的花样就更多：大宽缝重力坝，坝内大孔口导流，混凝土封堵闸门，全坝基封闭抽排降压系统，用拉板连接的溢流厂房，斜缝浇筑分期蓄水和预应力装配式结构等。许多做法在当时都有新意但也有风险，结果都成功了，并迅速得到推广。我当时的想法是：总得有人吃第一只螃蟹。

在担任水电总局和水电部总工程师后，责任更大了。我对一些新事物(不论是新理论、新结构、新材料、新设备、新工艺)总有些偏爱，先采取鼓励的态度，再分析其可行性。只要可行，总全力支持，进行试用和推广。如微膨胀水泥、新型消能工、碾压混凝土、面板堆石坝、软件包开发、CAD、优化设计和自动化设计等，必要时，我还乐意为基层承担责任。在一座百万千瓦的大水电工程上，业主和设计院对是否在主坝上采用碾压混凝土(当时在国内尚处试验阶段)犹豫为难时，我说：采用碾压混凝土后如获得成功，一切功劳都归你们，万一出事，一切责任都由我来负，因为是我决策采用的。这一态度使基层下了决心。同样，在另一国际招标施工的工程上，由于要抢回延误的工期，我力主在高温季节浇筑基层混凝土，并毅然决策采用在混凝土内掺加有膨胀性能的氧化镁，置国际专家组的书面强烈抗议于不顾，因为我了解并相信我国自己发展的这一新技术。在葛洲坝工程验收时，一位权威对护坦工程采用"抽排技术"深感疑虑，认为只能满足临时要求。我根据自己的经验，坚决为之"平反"，后来并把这一新技术列入设计规范。总之，我的想法是：历史是不断进步的，新东西必然要出现。前人的经验要重视，规程规范要尊重，但不能成为妨碍进步的借口。处在各级领导岗位上的科技人员和有影响的专家，对推动创新负有不可推卸的责任。

水利工程是要不断创新，但是也最需要安全，最不允许冒险。所以，创新与安全又是一对矛盾，这就需要我们学会辩证地看问题。要具体分析创新的本质、理论依据、技术基础，初步研究试验的情况，结合工程的规模、重要性、应用的部位，预计可能的风险和后果，认真权衡后做出决定，万不可盲目草率从事。必须善于分析事物的主要矛盾是什么、"主要"和"次要"依据什么来判别、如何理解数量与质量的关系等来做出判断。

1958～1959 年我在新安江工地，那时的"大跃进"运动也号召破除迷信、解放思想搞技术革命(创新)，但脱离实际违反科学，以致产生了严重的恶果，但有些人总用成绩是主要的，缺点错误是第二位的，强调九个指头与一个指头的关系，要"分清延安、西安"等似是而非的道理来压制批评。在会议上我就严正指出，新安江大坝有 24 个坝段，只要有一个出事，大坝就全面溃决，能说这是一个指头与九个指头的关系吗?我的话使全场同志陷入深思。

我深感一个人头脑中少了点辩证法，思想容易僵化，产生误区，迷失方向。设计师可以只追求计算精度，而不关心计算的基础是多么粗糙。有的人迷信理论计算，而且都当做是确定性的成果，忘记世上事物都是随机的、间断的、永远含有风险的。有的人提交的地基处理设计对地基的伤害可能大于加固效果，有的施工详图竟无法施工，有的研究成果也可能无法实施。我接触过一些同志，有些人犯有"明察秋毫而不见舆薪"的毛病。有些同志佩服我能从厚厚的设计计算稿中发现谬误，其实我并无过人的本领，而是从大原则、总体条件和常规来判断，逐步深入核心。例如在审核一个复杂结构的计算稿时，如发现最终的内力分布不满足平衡条件，变形不满足连续条件，或违反常规，就肯定其成果不可信，而不管他采用什么计算方法或其计算精度达到几位。

"学一点辩证法，它会使你聪明起来"，这是我常常劝告年轻人的一句话，因为只有学会了辩证法，我们才能干好工作，创新中才能把握好方向。

建设节约型社会是中国惟一出路

中国工程院在春节后就召开"建设节约型社会座谈会",说明对这个问题的重视。建设节约型社会,不仅是关系到促进我国经济社会可持续发展的重大战略课题,而且是我国的惟一出路。多年来我和许多同志为此不断呼吁,未见情况有明显改变。在此,我仍然愿意老生常谈,供大家参考。如有偏激欠妥之处,请大家批评指正。

一、简单的回顾

勤俭节约是中华民族的传统美德,新中国成立以来党反复强调要勤俭建国,要节约每一文钱,但五十多年来还是有不少失误,值得回顾一下。

在计划经济时期,国家贫困落后,物资缺乏,加上党的不断教育,社会上节约风气还是主流,节约观念也较深入人心,虽然这里有一点被动的意味。另一方面,在国家建设和生产上,由于体制上的缺陷(实行计划经济,吃大锅饭),思想上的误区(强调要算政治账),经济技术水平的低下以及经验不足,低效和浪

注:本文是作者在中国工程院"建设节约型社会座谈会"上的发言,2005 年 2 月 27 日。

费的事例还是很多的。例如决策失误、布局不妥、资源浪费、工期拖延、效率低下、重复建设等，只是发展规模尚较小，影响还不是特别严重。在向市场经济转轨后，强调经济效益，特别是追逐近期、局部效益，高消耗、高污染、低水平、低产出、外延式和粗放式的生产大量涌现，小企业遍地开花。由于数量多，总体规模大，对国家的资源和环境造成严重损失和污染。如果说，为了争取时间，在初期这么做还是必须付出代价的，到今天就不能再这么搞发展了。同时，社会上奢侈浪费风气也开始流行，笑穷不笑贪，"节约"被当做"落后"和"吝啬"的同义词，这种风气十分危险，值得特别警惕。

二、中国面临严峻的资源短缺

世界各国要走上可持续发展的道路，建设节约型社会应该是共同的方向，节约应该是全人类的美德。但对于中国来说，这一点尤其显得重要和紧迫。

中国是人多而物不博。中国现在发展水平还很低，人均 GDP 仅为发达国家的十几分之一，还需要大力发展。中国人口已达 13 亿，占全球的 1/5，高峰将达 16 亿或更多，而主要资源：耕地、水、能源、各种矿产按人均计都排在各国最后行列。例如人均耕地仅 1 亩(0.067hm²) 多，为世界平均的 1/3，且还在不断减少，要养活自己难度极大。如果有 1/10 的粮食要进口，就会打乱世界粮食市场。又如石油，为世界平均的 1/10，如果中国按美国现在的标准消费，每年需 50 亿 t 以上，全世界生产的石油都给中国用也不够。其他如水和重要的矿产资源无不已面临危机，如没有远虑，前景十分危险。

中国的环境也不容许这样消耗下去。现在工业化远未完成，已变成世界污染大国，再不改弦易辙，在中国将难以找到一块蓝天白云、青山绿水，连子孙赖以生存的基地都要没有了。

这种资源的短缺又和资源的严重浪费、低效使用并存。无论从哪个角度看，"中华民族已到了最危险的时候"，只有建设节约型社会才是惟一的出路。

三、要反对一些误导

为具体说明问题，我们以能源为例。

20 世纪 90 年代初，我曾为工程院主持过一个关于能源可持续发展战略研究的咨询项目，当时就感到问题严峻，必须厉行节能，要以一倍的能源增长支持 GDP 的翻两番，这样展望到 2050 年全国一次能源总消耗量仍要达三十多亿吨标煤，不下大工夫难以平衡。所以在我们的报告中反复强调问题的严重性、当前浪费的严重性和节能的重要性。但在报告完成上报时，遇到能源和电力生产"过剩"，号召大家尽量多用电多烧煤，这报告也就无人理睬。没过几年形势大变，工程院最近又做了咨询研究，认为 2020 年就需 34 亿 t 标煤，2050 年估计需 50 亿 t 标煤。能源供应真能这样无止境地增长吗？国内的资源能满足吗？国外能提供吗？节约没有潜力了吗？这可都是大问题。

对这些问题有人作了研究，认为：①由于汇率失真，中国单位 GDP 的耗能量并不多；②中国各行业的单位能耗和各国比也并不落后多少，节约潜力有限；③中国处在工业化初期，能源消耗的高速增长是符合世界发展常规的，电力弹性系数大于 1 是合理的；④以一倍的能源增长支持 GDP 的翻两番是不可能的，要考虑开发更多的能源。

这些结论令人怀疑和不安：中国单位 GDP 能耗之高，数倍于发达国家,中国各项主要产品的单位能耗不仅远高于国际先进水平,甚至高于印度等发展中国家,2004 年中国电力弹性系数高达 1.5 以上,极不合理,中国煤的开采、运输、转化过程中效率低、浪费大,一吨资源只顶半吨用,社会上的浪费现象比比皆是……这些都是明摆的事实,现在都成为正常、合理、不可避免,节约已无大的潜力! 三天前的报纸上刊登了建设部领导的话:中国建筑能耗超过发达国家二至三倍,中国已有的近 400 亿 m² 的建筑中 95% 是高能耗建筑,难道是信口开河? 中国的能源增长无论如何不能与 GDP 增长同步,现在却要求弹性系数大于 1! 中国的工业化过程是否必须亦步亦趋地走别人走过的路? 这些都值得深思。我担心,这种"研究结论"会起重大误导作用:否定节约的重大意义和潜力,动摇建立节约型社会的信心,使人们在"客观规律"、"国际经验"前无能为力!

还有一种误导,说什么超前消费、过度消费、甚至有些浪费都能拉动内需,促进经济发展。这么说,大吃大喝、公款消费、奢侈挥霍、重复建设都变成有理有功了。这无异于宣称割自己的肉吃可以补身子一样荒谬。但也很少有人来分析批判。

四、认真研究中央"新型工业化"的精神

党的十六大提出了我国要走"新型工业化"的道路。所谓新型工业化包含以下基本特征:科技含量高、经济效益好、资源消耗低、环境污染少、人力资源优势得到充分发挥。我认为能这么做就能解决发展与资源、发展与环境间的难题,就能建成节约型社会,就能走上可持续发展道路。可惜实际上许多地方、许多行业并没有执行。建议我们认真研究中央的这一指示,并在所有领域内予以贯彻。

五、产业的调整是最大的节约

根据中国的国情和中央的精神，我国在工业化过程中必须有所为有所不为，有所发展有所控制，低级产业向中国转移并不是来者不拒，多多益善。那些以付出土地、水、能源、矿产为代价取得一点点经济效益或外汇收入的产业就不能要。必须加快产业结构升级的步伐，加快从传统工业向新兴工业的转变，国家应该宣布，以牺牲资源和环境为代价取得经济发展的时期已经结束，今后要基本上停止发展高消耗、高污染、低效率、低产出的产业，各行各业、各省各区都要按照中央精神和具体情况对产业体系进行规划、转轨、重组，要制定传统工业和新兴工业的发展和取代过程。再不能永远搞那些外延式、粗放式、低附加值的生产了。产业体系结构的调整升级是最大的节约，无论有多少困难都必须迎难而上，东部地区更应先行。

这一转变不可能依靠市场行为自动完成，在这里，政府的宏观调控是重要的。就是说，政府要对此进行规划、导向、规范，利用政策、法规和经济手段来引导甚至迫使企业走上正确的道路，来体现国家意志。国家计委现在改称为国家发展和改革委员会，我想这是有深意的吧。建议发改委以此作为自己最重要的任务，不要把全部精力花在审批具体项目上。

六、所有生产都要向高标准看齐，提高效率，减低消耗

现在全球经济走向一体化，信息渠道畅通。建议各行各业都调查研究各国同行情况，取最先进的指标作为对比依据，看看有

多少差距，分析原因，制定措施，把消耗降下来，不达先进水平，誓不罢休。与其花钱再开新厂新矿，不如把钱花到更新、改造、提高上。千万不要"自我感觉良好"，"比上不足，比下有余"，或者感到条件不具备，无能为力。全国几百万、上千万家企业都奋起找差距赶先进，这里有多么巨大的节约潜力！

七、人民生活消费只能适度，实行全社会节约

今后我国人民生活水平当然会不断提高，但消费只能适度，我们要坚决地和永久地反对一切奢侈浪费行为，把它作为对国家的犯罪，在全社会实行全方位的节约。

所谓适度消费，例如：空调不是开得愈低愈好，暖气不是放得愈高愈好，照明不是愈亮愈好，住房、建筑不是愈高档愈好，不要和美国人比享受，不要追求小轿车的普及率，城市交通仍要以公交为主，一切勤俭节约的好传统好经验都要保留和推广。所谓实行全方位节约，就是指全民、全社会行动起来，节约每粒粮食，每滴水，每度电，每张纸，厉行回收制度，这里都包含有水、电、粮和各种资源在内啊。坚决反对一切奢侈浪费，唾弃和批判那种贫儿暴富心理。有人说，现在是市场经济，人家有钱爱花，无法禁止，还可促进发展。我们说，你有钱，可以去吃十万元一顿的盛宴，但不能弃下大量食品丢入泔水桶，你可以去住十万元一夜的总统套房，但卫生间内仍必须用节水型马桶，不能浪费自来水，你不能为追求上吉尼斯纪录去做只四吨重的汤圆，结果找不到锅能煮它……总之，你爱花钱就去花，但你没有权浪费资源，这要遭到全社会的谴责和法律的禁止。

生活消费不是个小数字。有人计算过，全国采用节能灯，其效益相当于两座三峡电站的发电量，为什么我们不花一点点修电

厂的钱来支持、贴补和推广节电产品？大城市的空调和冰箱耗电量十分巨大，为了保生活用电甚至拉掉了工业用电，而不同产品的耗电有巨大差别，为什么不立法淘汰陈旧高耗的设备？为什么不号召推广省油廉价的小型车（有些高级宾馆甚至禁止它们驶入，坐这种车的人也认为失面子）而要大肆宣扬高级车？这说明国家也好，舆论也好，人民也好，都没有把建设节约型社会当件事。现在是改变这种观念和风气的时候了。

八、以科技发展建设节约型社会

要实现新型工业化：以信息化带动工业化，从传统工业走向知识产业，以及提高生产效率，降低生产消耗，开发节约型产品……无一不需要依靠科技创新与发展。中国必须有强大的科技创新能力与发明成果，科技创新和发展是我国实现走新型工业化道路的动力和支撑力量。国家和社会必须大大增加研究和开发的投入，投入必须主要用于开发性、应用性和应用基础研究上，还必须有将发明和专利转化为生产力的渠道和保证，必须致力于人才的培养和人力资源的开发，否则一切都是虚话。

大家不妨看看中国的医药产业，这么大的国家，竟没有一样有自己知识产权的重要的特效药和医疗设备，统统要买别人的专利，成本几分钱一粒的药要卖上几块钱。中国的制药厂好像只能生产这个钙那个丸的骗人保健品！我为此感到痛心和羞愧，什么时候才有我们自己的真正的制药工业啊？

九、开展全民教育，树立节约观念是当务之急

建设节约型社会是全党、全国、全民的任务，必须大家有共同的认识，一齐动手，才能达到目标。根据目前情况，开展全民

教育，树立节约观念，实为当务之急。

　　作为一个社会主义国家的人民，总得有些理想，有个方向，对社会对国家有些贡献，对生活方式的追求有个准则。取舍标准就是国家民族的全局利益和长远大计。我总觉得现在很多人，尤其是年轻一代，这方面的认识差了一些。所以要进行全民教育，首先要进行国情教育、形势教育，使大家知道国家民族能否振兴只有现在最后一个机遇了，明白我们正处在无比剧烈的较量之中，认识到我们面临资源全面短缺的严峻现实。人人有责为此做出努力和贡献。我们一定要发扬艰苦朴素勤俭节约的传统美德，唾弃奢侈浪费的作风，让全社会正气上升邪风下降。我们一定要选择正确的发展模式，正确的生活方式，建设文明、节约、清洁、和谐的社会，只要我们认真贯彻中央的方针，共同努力，我们一定能达到目标，全面小康社会一定能建成，中华民族的振兴大业一定能完成！

对"发展"与"保护"关系的再思考

2005 年 1 月 18 日,国家环保总局在京宣布 30 个基建项目未通过"环评",属于违法施工性质,责令停工,成为全国人民关注的焦点。群众的反映明显地分为两类:有一些同志拍手称快,赞扬国家环保总局终于摆脱软弱无能地位,履行法律赋予的职责,严格环境准入,坚持环保一票否决制,控制无序建设,我国今后的生态环境保护问题有望更好地解决。另一些同志认为,被叫停的主要是国家急需、综合部门批准列项的现代化大型水、火电力建设,不属于无序建设,都按要求进行了环评,并将环评报告书上报国家环保总局。总局迟迟不批,来一个集中叫停,有利用职权"作秀"之嫌。叫停了这些可再生能源工程和高效率、低污染工程,后果只能是促使更多的高污染小发电厂的大量发展,将起到事与愿违的恶果。意见分歧之大,可见一斑。回想到 2004 年下半年,社会上对于怒江水电的开发问题,也有过激烈的争论。赞成开发的同志认为,怒江水力资源丰富,条件有利,是西电东送的重要能源基地,开发怒江是优化能源结构、减少环境污染、发展西南经济的重大战略举措。反对开发的同志则认为,在"三江并流"地区开发水电不利于保护世界自然遗产,会导致流

注:本文发表于《群言》2005 年第 3 期。

域生态恶化，呼吁在国内保持一条原始生态河，这比开发一些水能更为重要。双方意见完全相左。这些都是"经济、社会发展"与"生态、环境保护"间的矛盾。这个矛盾并不只存在于电力和能源领域，实际上，任何"发展"都会与"保护"产生矛盾，今后，在国家的发展建设道路上，这一矛盾将越来越尖锐，甚至上升为主要矛盾之一。我们很需要对这一矛盾做些客观的剖析，取得一致的认识，形成一个科学的发展观，为妥善解决问题创造条件。如果继续各持己见，水火不容，对国家民族的振兴大业是十分有害的。下面是笔者对此问题的几点初步认识，将一孔之见写出来供参考批评。

一、发展是硬道理

中国的近代史是一部受人宰割、欺凌和污辱的血泪史。为了拯救国家、民族，千百万革命先烈进行了坚苦卓绝的探索、奋斗、流血、牺牲。中国为自己的独立解放付出的代价超过任何其他国家。血的教训告诉我们，贫穷落后必然要挨打挨杀，只有发展才有前途。所以 20 世纪邓小平的七个字"发展才是硬道理"，就成为全国人民一致衷心拥护的总方向，这才有了今天来之不易的初步小康局面。

然而，今天国家仍未统一，人均 GDP 仍只为发达国家的十几分之一，科技水平仍然落后，国防实力仍然不强，中国在一定程度上仍然受人欺压，历史没有留给我们任何喘息的机会，"发展才是硬道理"仍然是最重要的原则。

今天的中国不但只有发展才有出路，而且还必须保持一个较高的发展速度才能生存下来。道理很明显，中国为了寻找和走上正确的道路，已经花了过长的时间，走了过多的弯路。我们已丧失了很多机遇，我们的起步点已比别人低太多。他们现在正倚仗其优势在迅速发展，当前虽未爆发世界大战，全球正处于激烈的竞争之中，实际上正在进行没有硝烟的战争。如果我们的速度不够快，中国就永远落在后面，而且差距会越来越大，那样，也就只能被形势淘汰，谈不上什么"振兴中华"了。

中国人口已超过13亿，国家和社会的负担无比沉重，如果没有一定的发展速度，就无法满足每年新增的一千几百万人的就业要求，无法解决社会保障问题，就会出现社会动乱，而一旦发生不稳定现象，什么事都办不成，我们将丧失"振兴中华"的最后机遇，中国将沦为其他国家的附庸，中华民族就难以自立于世界民族之林。

无论从什么角度看，中国需要发展，需要以较快的速度发展，笔者希望这能成为全国人民的共识。当然，这个"发展"应该是有真实意义的健康的发展，而不是虚幻的统计数字。

二、保护是硬要求

由于我国人口增长一度失控，以及在发展中的失误，现在中国的工业化过程还远未完成，生态破坏和环境污染已十分严重，几乎到了难以为继的地步。我这里讲的破坏和污染，主要是指直接影响人民生存的重大问题，还不是指什么保护世界自然遗产和景观的问题。事实上，我国的陆域、海域和大气都已严重污染，甚至全国人民的饮水安全都得不到保证！至今，全国有多少工矿、企业、农村和家庭还在源源不断地向江河、湖泊、大气和陆地上倾吐着废水、毒气、废渣。全国水土流失、空气污染、河湖萎缩、沙漠扩展……再这样下去，连子孙赖以生存的基地都要没有了。中国恐怕已经成为世界上的污染大国。据资料称，在2005

年 1 月 24 日瑞士达沃斯的世界经济论坛中，美国耶鲁大学和哥伦比亚大学的专家们对全球 146 个国家的环境可持续发展情况进行了评估，并发表了《环境可持续发展报告 2005》，中国列在133 位，恐怕不是外国人的有意贬低吧。

在旧社会，中国人的平均寿命只有三十多岁，现在已增加了一倍还多，成为世界上人口平均寿命较高的国家之一。如果环境继续污染下去，不仅这个纪录无法保持，甚至要在中国找一块蓝天白云、青山绿水都很困难了。

环境污染的危害性是不断积累发展的，正如癌细胞在肌体中扩散一样，开始时并不察觉，等进入晚期后再来治理就难了。许多人士为此都忧心如焚，做了认真详细的调查，提出各种建议，发出各种呼吁，引起了从中央领导到全国人民的重视，政府部门也采取了各种措施。但许多情况并未得到有效改变。例如淮河流域的治污，早在朱镕基总理任期内，国家就列为专项，拨下经费，要求限期达标，而实际情况是每况愈下。为什么符合人民利益的好事办不成功？值得深思。

严峻的事实告诉我们，中国的生态环境保护已经是政府和全国人民的当务之急了，不能再当做软任务看待了。保护是硬要求！当然，首先要解决的就是直接影响和危害人民的环境污染问题。

三、要承认发展与保护之间存在矛盾

发展是硬道理，保护是硬要求，那么两者间是什么关系？是否存在矛盾？我们应该承认它们之间确实存在必然的因果关系和很大的矛盾。

要发展，总要耗用资源，总要改变环境，总要进行一些建

设：开垦土地、修路架桥、筑坝引水、开矿办厂、烧煤发电……分散的农民要集中，从农业生产改变为轻、重工业生产，生产过程中总要排放废水、废气、废渣，污染环境，这是不容否认的事实。

这一矛盾及其影响，在不同的发展阶段是不同的。在农业社会阶段，土地广阔，人口稀少，人们进行的生产活动是低层次的，对环境的影响是有限的，大自然也拥有足够的自我修复能力。进入工业社会后，情况逐步变化：人口增长和集中，生产活动的规模不断扩大，层次不断提升，对环境的污染就急剧增加，尤其在工业化初期为甚，终于超过自然的承受极限，遭到自然的报复。到后工业化时代，传统工业的发展有所停滞，改向新型工业化发展，加上认识的深化，科技的进步，效率的提高，污染情况就会得到遏制、改善，走上可持续发展的道路，世界上一些发达国家，大都有过类似的过程。

我国的经济发展滞后于欧美数十年乃至一百年，我国又是社会主义大国。论理，我们可以吸取别人的经验教训，走出一条更好的"发展"与"保护"双赢的道路。不幸事实恰恰相反，我国不仅没有避免走上先污染后治理的道路，而且在工业化远未完成之际，环境污染已到了难以为继的程度！分析其原因，一是我国人口增长一度失控，十多亿人口给国家造成沉重的负担，二是由于历史因素和人为失误，我国的发展远远落后于发达国家，经济、科技、管理水平都很低，为了尽快发展、赢得时间、站稳脚跟和解决社会问题，许多项目都是低技术、低产出、高消耗、高污染、粗放型、外延式的发展，无数的中、小落后工业齐头并进，对生态环境问题或是置之不顾，或是心有余而力不足，这种情况是其他发达国家未遭遇到的。当然，如果在一开始就坚持一切开发项目必须满足高标准的环保要求，环境情况就不会像现在这样糟，但是发展的规模和速度肯定是另一种情况，经济实力和综合国力也不会达到现在的水平。总之，造成今天的局面，固然有认识上的问题，也有客观形势的影响，究竟哪些是必须付出的代价，哪些是可以避免的失误，还是一个值得深入研究的问题。

四、要相信发展与保护能够取得双赢

"发展"和"保护"能否双赢呢？我们认为一定可以达到这个目的，对此要有信心。

从国际经验看，在工业化初期，英国的一些大城市，欧洲的鲁尔区，北美的匹兹堡……莫不严重污染，"暗无天日"，但现在又如何呢？过去严重污染区都已恢复健康。一些先进发达国家在人均 GDP 达到数万美元的同时，生态环境也达到理想程度。榜样放在面前，别人能做到的，我们没有理由做不到。

有的同志担心，中国情况与发达国家不同。中国现在还在工业化前期，环境污染已如此严重。今后又要保持高速度的发展，这个矛盾不好解决。我们承认中国有特殊的国情和困难，矛盾也不能指望在短时期内简单地解决。但人类的特点就是能在困难前总结经验教训，改正错误，寻找出正确的道路。实际上，党的十六大提出我国发展要走"新型工业化"的道路，就已指出了总方向。我们只要能认真地、科学地总结经验教训，清醒地看清当前形势和国情，以大局和全局为重来衡量是非，用动态观点观察问题，就一定能统一认识，建立起科学发展观，走上发展和保护双赢的可持续发展之路。总之，现在已不是指责、争吵、发牢骚的时候，而应该吃透情况，弄清因果，针对今后发展要求和具体国情，认真贯彻落实中央的精神了。

五、不发展、推迟发展不等于保护

由于不顾生态环境要求盲目发展而招致大自然报复的事例太多，现在世界上有部分人士主张尽量少去改变环境，力求保持原生状态，对各种形式的开发都持慎重乃至反对态度。他们一般将发展带来的负面影响过分夸大，有些"因噎废食"的味道，这种态度失之偏颇，对于我国国情，尤其不适合。

我们赞成根据一定要求和准则，划定一些"自然保护区"，并依法停止或限制在"保护区"内的"开发"。当然，保护区的设置应通过详尽论证和立法手续。但在大部分人民生活生产的区域中，以不发展或推迟发展来保护环境，显然是行不通的，也是事与愿违的。

事实上，我国有很多地区至今还很贫穷落后，谈不上发展，而水土流失、草原退化、沙漠扩大、水源枯竭……已达到需抢救的地步。这说明生态环境的恶化，并不总是由于"发展"造成的。对这些地区，停止发展并不能解决环境恶化的问题。

怒江中下游是否要开发水电，就是这类争议的问题。该地区主要为怒江傈僳族自治州和保山市，为少数民族和汉族聚居地，经济发展十分落后，社会非常贫困。怒江州 42 万农民有一半以上是贫困人口，全州 4 个县都是国家扶贫开发重点扶持县。人们长期以来过着原始生活，垦荒种粮，砍柴为薪，依靠消耗自然资源维持生活。20 世纪 50 年代森林覆盖率达 50% 以上，随着人口增长，现在 2 500m 高程以下的森林已消失，水土流失，土壤侵蚀，除非国家采取专门措施，实施"生态移民"，生态环境是无法保护的。如果确如某些同志调查所述，开发当地的丰富水电资源并不构成对生态环境的破坏，不如加速开发，促进地区经济高速增长，不仅能够使人民脱贫致富，而且能够真正保护生态环境（见《群言》2004年第12期，《坚持科学发展观，合理开发怒江水电资源》一文）。

六、在保护中发展，以发展促保护

很多同志都批评过发达国家走了"先污染后治理"的错误道路，认为中国决不能走这条错路。但是上面已提到，一些发达国家已在相当程度上解决了环境污染问题，而中国却陷入更严峻的环境危机之中。我们今后是否还坚持高唱"不走先污染后治理的道路"的口号呢？

这个问题需要辩证地认识：从宏观上说，中国在相当长的时期内的发展，是依靠糟蹋资源和牺牲环境为代价取得的，说得再坦白一些，就是为了抢时间争速度，不顾环境和资源，把经济搞上去再说，如当年提倡大搞小煤矿，短期内产量猛增，大大发展了国家和地方经济，增加了就业人口，但确实污染了环境，糟蹋了资源，不但重蹈"先污染后治理"的覆辙，而且更走上"先污染不治理"的绝路。现在中国经济规模好歹有了基础，这样的局面不能再继续下去。强调今后不能走"先污染后治理"、甚至是"先污染不治理"的路，是应该的。

而从微观上看，就具体工程讲，要开发、建设总要扰动环境，带来影响。要在发展中完全或基本上避免负面作用是难以做到的。如果在这些问题上无限上纲，提出不符当前国情的过高要求，就什么事也办不成了。所以，只要这个项目在全局上、实质上为国家发展所需，对环境的负面作用不大，而且是可以减免、缓解、补偿或者是暂时性的，就应该支持；重要的是认真落实减免补偿措施，包括在今后进行更高层次的治理措施。要认识到只有经济发展、实力强大了，才能最终解决环境问题。发达国家的实例摆在我们面前。我国东部较发达地区的环境治理工作较易启动，而西部贫困地区就十分困难，都是明证。"发展"和"保护"这对矛盾中，如果将它们割裂开来，只强调一面，国家既难以发展，也无法保护环境，陷入恶性循环。笔者认为，两者之中"发展"应该是矛盾的主要方面，如果能付出一点不大的、可补偿的或暂时的代价，使经济得到健康发展，再用强大的经济实力，对环境加强治理保护，就能走上良性循环和可持续发展的康庄大道。从这个意义上说，就得走"先发展后治理"的路，此中道理，希望掌握审批权力的人士深思。

七、改弦易辙，与民更始

如果以上分析基本接近实际的话，笔者冒昧建议国家采取以下措施：

(1)党和国家慎重决策今后的发展（以经济发展为主体包括科技、国防……）速度与目标，务使国家能在预定时期内全面建成小康社会，实现民族振兴大业。全国各行各业、全体人民要全心全力支持这一决策，并为这一共同的神圣事业和伟大目标奋斗，做出各自的贡献。

(2)国家正式宣布，以牺牲资源和环境为代价取得经济发展的时期已经结束，今后基本上停止发展高消耗、高污染、低效率、低产出的产业。各行各业、各省各区都要按照新的精神和科学发展观，根据国情省情，审时度势，对产业体系进行规划、转轨、重组、引进，制定传统工业和新兴工业的发展和替代过程。以全局为重，有所为有所不为。

(3)新建的产业、企业必须按照标准进行严格、客观的环评，标准既要瞄准国际高水平，实现高效、清洁生产，又要符合当前国情，动态修正。以能源行业为例，煤的增产必须依靠大型现代化综采矿井，禁止发展低水平的小矿，燃煤电厂必须是大型高效电厂，严格脱硫脱硝除尘，从而从源头上遏制污染的进一步加剧。这样做当然要增加投入与生产成本，如上所述，如一时不能做到，可制定规划，逐步实施，但必须严格执行。随着发展的加速、科技的进步和经济实力的增强，社会能逐步接受和消化成本上升的问题。

(4)对已存在的污染企业特别是小企业，根据情况，制定计划，全面治理，克期见效。

对效益差、污染严重、难以治理的坚决关闭，一时无法转业的职工宁可暂由社会给予生活保障。对其余的也要分批限期改造治理，使污染程度确能不断下降。

(5)随着经济实力的不断强大，国家逐步加强对环境治理保护的投入力度，提高标准或要求，采取各种有效措施，包括建立相应的产业链和推行全民教育活动，最终达到国际先进水平。

八、互尊互重，沟通交流，大局为重，用好权，把好关

同时满足发展和保护的要求，是一件十分复杂的任务，既要认清目标方向，坚持不懈，又不能无视国情，简单草率从事。这就需要政府行使职能，执行导向和规范工作，来体现国家意志，而不能完全依托市场行为。作为国家综合计划部门（发改委）和国家环保主管部门（环保总局）的任务尤其重大，希望能用好权，把好关。

首先我们希望两部门能相互沟通，法规要协调，不要使下面

无所适从。例如金沙江下游开发规划早经国务院批准，溪洛渡水电站是其中骨干枢纽，列为首批开发工程，一切前期工作都按此依法进行。其后地方环保部门又提出将金沙江下游作为自然保护区，也得到国务院批准，形成矛盾。希望不要重现这种不协调的事件。

其次，我们希望有关部门能相互尊重，有矛盾、纠纷，摆在桌面上商讨，以国家全局利益为重，定取舍、求一致，不要互不服气，利用职权来掣肘。既然大家有相同的目标和共同的利益，就不难通过协商、协调取得一致。

由于本文是从环保总局叫停30个大型基建项目为由而写的，所以愿对环保总局多提一点意见：

(1)环境污染已成为我国最严重的问题之一，要治理中国环境，问题复杂，难度极大，国家环保总局的任务和担子十分艰巨，应该相信全国人民是理解支持总局工作的，提出一些建议和批评也是希望总局工作能做得更好，希望能耐心听取。

(2)评审项目的环境影响时，望能在较高层次上考察。例如一个"两头在外"的工程，国内既无原料也无市场，实质上是由中国提供土地、水和能源，污染环境，换取一些外汇，从全局来看就不适宜，不仅是局部污染影响。又如溪洛渡水电站联同下游的向家坝，年发电近 1 000 亿 kW·h，每年可替代 5 000 万 t 燃煤，对环境的正面影响十分显著，而在评审中总不予重视。

(3)评审项目的环境影响时，望能考虑得深远一点。例如，不恰当地否定或推迟一个现代化大项目的建设，不仅影响发展，而且实质上起了促使许多指标极差的小项目的兴起取代，起了事与愿违的作用。

(4)一个大型工程牵涉面很广，当然对所有的影响都应查明，但毕竟有主次之分，望能抓住主要矛盾。例如三峡工程对生态环境的影响多达数十项，但最重要的是淹没移民和泥沙淤积。如在枝节问题上花精力太多，会忽略对主要问题的深入探究。直接污染环境、破坏生态和影响人民生命健康安全的内容才是重点。

(5)评审中望能考虑国情和以动态观点处理问题，有些问题可以分步解决，有些标准可以分步达到，即真正做到在保护中发展，以发展促保护。

(6)希望环保总局能提高环评质量与效率，对重大项目的评审，如意见分歧无法一致，建议列出各方论点和依据，提请国家协调、考虑和决策，不宜采取简单的否决做法。

社会呼唤能工巧匠

不久前，笔者参加了一个会议。在讨论如何进一步提高今后工程质量问题时，有的同志建议要完善和加强质量管理体系，有的认为关键问题是如何落实这套体系，还有认为要加强监理工作、提高监理水平，也有认为要加强质量教育、兑现奖惩制度等。有一位同志则说，问题的根本还是施工队伍的素质和技术水平不高，缺少"能工巧匠"。他的话引起我的强烈共鸣和深思。这个问题不仅具有实质性意义，而且要解决它还牵涉到人们的思想意识和社会风气问题，故写此短文，以期引起讨论。

好质量是干出来的

在长期的计划经济体制下，我们的管理水平落后，法治观念淡薄，改革开放以来，又片面追求经济效益，轻视质量，出现很多弊病，这些都是不争的事实。建立、完善和落实质量管理体系，提高加强监理工作，无疑是当务之急。但这些是上层建筑，工人的素质和技术则是基础。在改进上层建筑的同时，绝不应忽视施工队伍的素质问题。毕竟，工程是靠人干出来的。完善的管理体系和高水平的工程监理确实可以起到监督纠正、保证质量的

注：本文发表于《群言》2003 年第 2 期。

作用，但如果工人素质不高，技术水平很低，不懂也不会干活，再好的体制也无法解决问题，充其量只能不断地责令停工、返工、处罚，并不能代替他们工作。因此，有同志尖锐地指出，好质量是干出来的，不是监理出来的。

于此，还可分析一下今后第一线的工人和技术人员在生产中和社会上的地位。曾经有一段时间，我们过分强调甚至崇拜产业工人和体力劳动的作用。随着科技的飞速发展，据说即将进入"信息社会"和"后工业时代"，似乎今后主要靠计算机和按钮生产，他们的地位就一落千丈。回想 20 世纪 80 年代，我在水电部任总工时，曾致力引进、开发 CAD 技术，计算机、数据处理、专家智能库等神奇的功能，深深震慑了我，使我存在过不切实际的幻想。

我曾认为若干年后，水利设计工作将是十分简单和舒适的。以最复杂的拱坝设计为例，工程师躺在软皮椅中，点上一支烟，启动计算机，击几个按钮，坝址的地形地质资料都通过遥控遥测方式取得和进入计算机，强大的软件包括浓缩的专家智能，自动进行枢纽布置比选和坝体优化设计。在计算机忙着的时候，你不妨冲一杯咖啡，看一点新闻，当计算机发出请示信息时看看屏幕，做出选择。然后，就等待它完成施工详图和设计报告了。现在看来，这只能作为科幻小说材料。至少，在可预见的未来，电脑取代不了人脑，按钮取代不了现场劳动，程序取代不了经验，对于土木、水利、建筑这些行业尤其如此。总之，科技发展不是不要工人、不要劳动、不要经验的积累，而是需要更高层次的工人和劳动。

我们需要现代工头

在第一线施工的队伍中，总有几个带头的角色——工头。工头这个名词似有贬义，但假如把它定义为掌握技术、富有经验的能工巧匠，能发现问题、解决问题，能统率团队起核心和带头作用的人物，譬如木工中的鲁班，就不会误解了。一支施工队伍中，有没有一位鲁班式的工头，影响极为巨大。

45 年前，我参加了新中国第一座大型水电站——新安江水电站的建设，任现场设计组组长，获益匪浅。感受最深的就是各施工队中都有些鲁班式的人才：潜水工、起重工、浇筑工、灌浆工、开挖工、安装工……这些人都身怀绝技，有极丰富的经验，一般困难都难不倒他们。他们还有朴实的作风和高尚的精神面貌。他们出现在什么地方，就会形成一支战斗的小分队，就会使人感到放心。当时号召设计人员下现场，向工人学习，做法有些过分或粗糙，但就向这些人物学习来讲，实在是受益无穷的。

时至今日，我认为我们的施工队伍中仍然需要这样的能工巧匠，这样的工头。和以往不同的是，现代工头要具备较高的学历、掌握更多的现代科技理论和知识，但在经验的积累、绝技的掌握、踏实的作风、解决问题的能力和在梯队中起表率、带头、核心作用以及能提高整个梯队的水平与战斗力方面毫无二致。这样的人物永远不可缺少，也不能以电脑、管理人员或行政领导代替。遗憾的是，这样的人似乎愈来愈少了，老的退了，年轻的未成熟，而且不屑为此。我对此深感困惑和担忧。我要大力呼吁，社会呼唤能工巧匠，社会需要现代鲁班和合格的工头。

不拘一格降人才

过去有"万般皆下品，惟有读书高"之说。革了几十年的命，批判了几十年，现在的社会风气似乎仍差不多。读重点中学，考名牌大学，这就是摆在下一代面前的惟一出路。热门专业是电脑、外贸、生化、管理……有特长的则考文艺、体育。家长们不顾子女的条件、志趣，竭尽全力鞭策他们走这条路，形成千军万马过独木桥的局面。被挤下独木桥的孩子，读了专科、技校，就饱受白眼，低人一头，前途堪虞，甚至酿成悲剧。这样的风气和观念好不好？发人深思。

不错，我们需要科学家、文学家、企业家，让中国经济发展，科技腾飞，拿诺贝尔奖。几亿青少年中，不乏这种人才，应创造条件，让他们脱颖而出。但我们同样需要数量大得多的工人和技术员，特别是"能工巧匠"，他们对社会的贡献同样巨大，同样值得尊重。一架航天飞机中有发动机和操纵系统，但更多的材料用在舱身上。一颗螺钉也不能缺少或出事。"我愿天公重抖擞，不拘一格降人才"，这诗句值得我们玩味，不要全都去挤独木桥了。

为了扭转社会风气，应该给新一代的能工巧匠以应有的地位。在新安江时代，那些老师傅们的地位是高的。他们不仅是名义上的领导阶级，往往也是党员和劳模，有的是党委、支部委员或兼行政职务。人们敬重他们，报刊电影上歌颂他们。物质待遇更不低于一般知识分子。年轻人能当上工人，追随名师，学会技术，更是一条令人羡慕的路。

但在今天，作为一个"工头"，无论你如何身怀绝技，在一线勤奋工作做出贡献，能有地位吗？能有高报酬吗？能和博士、歌星、企业家比吗？传媒能宣传你吗？这就无怪乎年轻人都要挤独木桥了。

一位科学家、企业家、文学家的成长不容易，他们应该有较高的收入。但是能工巧匠的成长容易吗？他们也应得到社会的尊重和相称的报酬。在一些西方国家，熟练技工的工资可以高于工程师，在社会上也不受歧视，这一点是我们应该效法的。

不要画地为牢，培养更多的当代鲁班

为了打破论资排辈和干部终身制，我国严格实行职工聘任和退休制度，取得重大成就，但也出现些偏差。

首先是把年龄作为用人的最重要标准。现在职工在60（女55）岁退职退休，其实，早在此前人们已无心工作，纷纷"考虑后事"，更谈不上进取了。更有甚者，到了40岁出头一些，要换岗求职，就成为不受欢迎的人。对于退休的人，则当成包袱，能按时给点退休费、回聘一两年就不错，不再考虑使用了。总之，以年龄线画地为牢，自捆手脚。

为了让年轻一代尽快锻炼成长，我们拥护职工到点卸职退休。随着年龄的增加，人的体力和一些功能总要下降，长江后浪推前浪，这是自然规律。但同样的规律是，人的经验是随年龄而积累的，只要他不是尸位素餐，特别像施工队中的工头们，要使技术能达到炉火纯青、经验积累达到"升华"阶段，不经过极长时间的磨炼是不可能的。这不是任何短期培训、突击学习所能奏效的。那些需退休或不受欢迎的人，也许正是达到这种境界的人才。一个人读书要花十多年、二十多年时间，工作了十多年就不受欢迎，再干几年就要考虑退路，这难道不是人才的最大浪费吗？一个单位、企业，如果能关心这些"老人"，花不大的代价，完全可以留住他们的人和心，使他们发挥巨大的作用，首先就是教育培养年轻一代的作用。为此，我呼吁有关领导和人事干部来做好这项工作，用不同形式、方法，发挥"老人"作用，使人人感到年龄段只意味着一些名称、职位上的变化，毫不影响继续为国家做贡献，使人人能活到老、学到老、做到老、贡献到老，那是一件多有历史意义的事啊。

回到施工企业上，现在竞争剧烈，很多企业在招聘新人、打造广告和公关活动上狠下工夫，是否也可在"留住鲁班、发现鲁班、培养鲁班"上下点工夫。让自己的队伍拥有大量的能工巧匠，能承接艰巨任务，能做出优质产品，能成为社会上信得过的企业，而无须过分依赖监督和惩罚，这也许是振兴企业的根本之道，质诸高明，以为然否。

新世纪的人才问题

一、重视新世纪的人才竞争形势

进入新世纪后，世界很不太平，情况复杂，矛盾交叉。中国作为惟一的社会主义大国，面临剧烈和无情的竞争。不是在竞争中取胜，全面建成小康社会，实现民族振兴大业，就是在竞争中失败，沦为别人的附庸，国家分裂，受人支配，仰人鼻息，似乎没有第三条路。所以，虽然没有打世界大战，实际上我们是生活在没有硝烟的战争岁月里。

竞争是在多领域中进行的：政治上，军事上，经济上，外交上，文化上……有同志作过分析归纳，认为本质上是综合国力的竞争，也就是经济实力的竞争。这个世界确实是谁有实力谁说了算。所以我们要排除干扰，一心一意搞建设。有同志又作进一步分析，认为科技是第一生产力，国家实力是否强大，并不完全取决于年产多少万吨钢，而取决于科技水平和发展速度怎么样。所以说本质上是科技水平与发展速度的竞争。有同志就再作探索，科技发展也好，经济建设也好，都要依靠人才。没有强大的、一

注：本文系作者在国家电力公司"人力资源发展论坛"上所作的报告摘要，2003 年 11 月 7 日。

流的人才队伍，科技是发展不了的，也是难以为继的，高新科技更不能用钱买来。这样看来，归根结蒂是人才的竞争了。我想这些分析都有一定道理。人毕竟是最重要的生产要素。第二次世界大战结束时，美国并不忙于拆迁对方的机器设备，而是抓了一大批科学家当战利品，还实行开放政策，利用他们的优势拼命吸纳和稳定人才，确实取得了战略性的胜利。

中国拥有世界上最大的人力资源，历史上也都重视人才战略。无数兴亡事例证明：得人者昌，失人者亡。在太平盛世，总是人心归向，人才辈出，而在乱世总是人心涣散，豺狼当道。我们党从建立以来，也因一直重视干部和人才问题，才取得夺取政权和进行社会主义建设的巨大成就。可惜在新中国成立后一段时期内，受"左"的思想干扰，走了弯路，受了挫折，加上历史因素，目前面临许多困境，还需下大力气、大工夫做好人的工作，这是一切工作之本。所以可以说，做好人的工作，是摆在领导同志面前的第一位工作。政府部门也好，事业单位也好，企业也好，人事部门应该是一个负有最重大责任的部门。

有的同志感到，目前我国经济还较落后，工资水平低，科研和各种条件都差，对做好人才工作感到没有信心。例如，国家花了很大代价培养的大学生、研究生，拔尖的都出国为人所用了，外资、合资企业进来后，搞"猎头"活动，一些最好的人才都被以高薪挖走了，我们无法抗拒。这些确实是事实，也不能强行禁止人们出国和去外企。天要下雨娘要嫁人嘛。但我看不必悲观。只要我们把工作做好，这些现象只是暂时的，出去的人也会回来。有的人在外工作对我国也仍有利。再说，我国每年在读的大学生、研究生有1 000万人，外国、外企有多大的胃口？不要认为尖子都出去了，出去的都是尖子，实际上，绝大多数的英才还是在国内。这些年来我们取得的项项伟大成就都是"土包子"们完成的啊。近几年来，有些回来考察参观的华裔看了中国的蓬勃气象和巨大成就后，发自内心地赞叹说："今后的希望在中国"。所以没有理由悲观，重要的是尽我们一切努力来改善条件、做好工作。

二、明确新世纪的人才素质要求

在新世纪中，中国要全面建设小康社会，步入发达国家行列，振兴中华民族，各领域、各层次都需要大量的人才。就以电力部门来说，现在全国装机容量 3 亿多 kW，世界第二，到 2010 年将达 9 亿 kW，2050 年将达 15 亿 kW 甚至更多，我们需要多少领导、企业家、科学家、工程师、技师、管理干部？从专业上分，需要在勘测、设计、施工、制造、运行、经营、科研……各领域中培养多少英才才能完成任务？对他们有些什么要求呢？或者说我们希望培养出什么样的人才呢？当然，对各领域各层次的人会有不同的具体要求，但总有一些共性的要求吧。我把这些要求归纳为以下五点。

1. 有执着的事业感情

一个人要能为国家、人民做出点贡献和成就，总得对自己从事的事业有点感情，或者说有一点敬业精神。电力界的优良传统之一，就是许多同志都具有深厚的事业感。这不是说一个人不能改行，但如果你已选择了电业作为终身事业，那就应当热爱它，愿为这一事业贡献青春以至终身。有了这种感情，就能自发地努力工作，积极钻研，锲而不舍，百折不挠，任劳任怨，做出成绩。像三峡工程就论证了 50 年！很多前辈和模范人物，都以他们的感人事迹为我们留下光辉榜样。相反，如果身在曹营心在汉，做一天和尚撞一天钟，当然很难有成就和贡献了。

有的同志讲，我不是不爱这个专业，但现在的工作不适合我，不能发挥我的专长，打击了我的积极性。可能确有这样的情况，也正是做人事工作的同志要注意的：要了解每位职工的特长和志趣，尽可能使他们在最合适的位置工作，发挥其最大作用。而且现在是竞争上岗，真有本领的人总会脱颖而出。但更多的是自己眼高手低，不安心于现有工作，总想一步登天。其实，三百六十行，行行出状元。只要是有心人，手头的平凡工作也大有可为，也能创造奇迹。如果你对平凡的工作也做不好，怎能指望在更复杂的岗位上做出成绩呢？不想当将军的士兵不是一个好的士兵，但当不好士兵的人决不能成为好的将军。道理就是这么简单。

2. 有坚定的创新思想

宇宙万物处于永恒的变动之中，变化、发展是描述宇宙行为的最基本规律。我痛感中国传统文化和思想中影响我国发展的最大因素是静止论、停滞论和今不如昔论。把世界万物包括人的思想行为都定为静止的，如果有运动，那就按一定轨道永恒运行下去，所谓"天不变道亦不变"那一套，这是非常有害的。

宇宙中没有绝对的静止，也没有不变的轨道，变化、发展和进步是人间正道，开拓创新、与时俱进是我们惟一的出路。新一代的人才必须具有鲜明和坚定的开拓创新思想，对一切事物不轻信经典和权威，抱怀疑态度，不满足现状，永远追求创新，并以实践来判断一切。我们失去的时间已很多，差距已很大，要在竞争中取胜，思想非解放不可，作为战斗主力的年轻人尤其要轻装上阵，决不可墨守成规。

同样重要的是，开拓创新需建立在严格的科学基础上，需要进行艰苦卓绝的探索研究，绝不可能灵机一动，唾手而得，一鸣惊人，名垂千秋。水变油、永动机不是科学，不是创新，前者是骗局，后者是做梦。我们要真正开拓创新，必须彻底排除骗局和梦幻的干扰，一步一个脚印地前进。

3. 有高度的综合能力

中国人是很聪明的，至少不逊于任何其他民族。但长期以来，缺少原创性的巨大突破，连国家设立的自然科学奖中的特等奖、一等奖也经常缺项。搞科研的人较擅长在别人的基础上做拾遗补缺的工作，企业家也往往是精明而不英明。这一现象我称之为有小聪明而无大智慧。这可能与我们的教育模式有关。现在的教育全力以赴要使学生考高分，或死记硬背，或猜题押题，出怪题偏题，引导学生去钻牛角尖。而外国较注重于培养人的独立思考精神，考察他的综合分析能力。有时学生与教师在课堂上各持己见，吵成一团。对此，我没有做过研究，但如果确有这种情况，就难怪中国人可以在某些狭窄的领域中探幽发微，而不善于开拓新领域，成为某一学科、某一学派、某一理论的开山祖师与奠基人，也难出大科学家、大发明家、大经济学家和大工程师。这对我们面临的竞争是很不利的。

我们希望新一代的人才有综合的能力。能明察秋毫，也能看见泰山，能从树木看到森林，能了解大局认清形势，从而能在高一层次上观察和分析问题、判定方向，从小聪明走向大智慧。对于各层次的领导和学术上的带头人、首席专家，这就尤为重要。有这种能力的人，是国家、行业的宝贵财富。

但同时要指出，一个人不可能凭空获得这种才能。实际上，只有通过具体深入研究，掌握大量经验教训，才有可能上升到新的层次来认识问题。既要有小聪明，又不要囿于小聪明而要升华到大智慧。小聪明是大智慧的基础，大智慧是小聪明的整合和超越，我想就是这么一种关系吧。

4. 有自觉的合群意识

社会发展到今天，无论是搞研究还是搞建设，都已不可能孤军奋战取得成功了(个别学科如纯粹数学也许例外)。我们只要看一看神舟系列的上天，或是任何重大科技突破、重大工程的建设都是多少英才的心血和精力的凝聚，就可确认这点。在生物界，一只蚂蚁或蜜蜂的能力是多么微弱，而几千万、上亿只蚂蚁或蜜蜂合成群落后，其能力和智慧就出现大飞越，绝不是个体能力的简单相加。这一点实在值得我们深思。

千百年来，中国是科举选士，讲究的是"十年寒窗一举成名"，当然不能搞什么集体行动。这一历史会不会在一定程度上影响我国人民尤其是知识分子的合群能力？外国人常讥讽我们：一个中国人是条龙，一群中国人是堆虫。在柏杨先生的《丑陋的中国人》一书中对此更发挥得淋漓尽致，引起了许多同志的愤怒与驳斥。但如平心静气地分析一下，我们确实有较多的个人聪明，而集体智慧和团队精神是不够的。

我们遗憾地看到，有些单位中不乏一流人才，但容易互不服气，"天无二日"，"文人相轻"，内耗不已。个体的智慧和能力不仅不能叠加而飞越，反而是相互抵消，$1+1=0$。有的同志即使不搞内耗，也习惯于个体活动，划独木舟，而不善于合群，在群众的大海中乘航母破浪前进。这对我们非常不利。我们要以两弹一星、神舟飞船、三峡工程和各种巨大突破、重点建设为正面教材，加强宣传，使之深入人心，批判那些狭隘心理与作风，使我们的新一代人才有自觉的合群意识与需求。十多亿人民整合起来，将产生像核弹爆炸那样的威力！

这里还必须说明，强调合群决不是贬低个人努力与个人智慧，也不是说只要合成群就会成功。相反，只有每个个体都发挥其最大潜力后，群体才能实现超越的和更高层次的突破，而个体也会在其中得到更好的发展。个人努力和集体效益之间，存在相辅相成的辩证关系，这里有很多学问值得研究。

5. 真诚的爱国心理

讲人才一定要讲究德才兼备。所谓德，也就是政治上的要求。新中国成立以来，党一直重视政治要求，可惜走了一段弯路，一是陷入唯阶级论的误区，热衷于追查人们的祖宗三代；二是要求一个人的思想纯而又纯，不容有半点私心杂念，都要像小说或电影中的样板英雄那样"高大全"。甚至小夫妻新婚夜只能共同学文件或讨论怎样养猪，这样的政治要求不但难以达到，也根本是假大空的。但现在我把它简化到"有一颗真诚的爱国心"，是不是降得太低了呢？

一个人如果有一颗真诚的爱国心，他也一定爱人民，爱党。他要追求他的个人利益，但不会做伤害祖国母亲的事，不会卖国求荣，不会贪赃枉法，不会腐化堕落，不会谋财害命，不会赚非法钱、黑心钱。即使去了国外或进了外企，也不会暗算自己的母亲。爱国，使老一辈科学家放弃优厚待遇，排除万难，回到贫穷落后的祖国来，虽然他们那时并没有高深的马克思主义修养；爱国，使多少英才长年累月战斗在戈壁荒滩，为实现中华航天梦而献出一切，虽然他们并不都是雷锋。真诚地热爱我们的社会主义祖国，这是最广大人民群众都能接受的共同准则。有这么一个基础，再通过结合形势的学习(如"三个代表"重要思想、"十六届三中全会文件")，努力落实、扩大、提高，就容易达到新的境界，不能轻视这个最原始的基础啊。

三、新世纪的人才工作

1. 做好"人心工程"

新中国成立以来，"左"的思潮给党的事业造成严重伤害，这些虽已成了历史，我觉得仍有必要重温旧梦，把"左"的思想和做法彻底清除。"左"对宣传和人事工作的影响尤大。在那时，"宣传"尽讲套话、空话、大话、假话，以致既无人听也没人信。在人事工作方面，我更有切身感受：在50年代末、60年代初，有过一个"向党交心运动"，我全心全意投入，深刻检查批判了自己有过的错误思想，谁知都进了人事档案中，"文革"一开始就抛了出来作为反党铁证。当时我觉得心头一片冰凉。如果人事部门成为整人的机构，门难进、脸难看、话难谈、事难办、非万不得已不会上门的阎王殿，这说明已失去人心，人事工作可称全面失败。我们要记住：谁赢得人心，谁就取得胜利。

在计划经济体制下，人是从属于一个"单位"的，而且是终身制(反过来，单位也不能开除职工)，这当然不合理。现在实行双向选择，竞争上岗，取得很大成绩。但如果一个单位、企业的职工，只要找到条件更好的工作，就马上跳槽，我认为这个单位的人事工作也是失败的。反之，一个企业尽管当前条件并不好，但职工们有一种亲切感、亲和力，觉得自己是受重视的，被关怀的，有前途的，面对更优惠条件的其他岗位，仍舍不得走，这就成功了，这样的企业是有前途的。

我们一切工作都要以人为本，人事工作当然更要以人为本了。计划经济时期实行的是"人治"，当然不对。现在实行"法治"，有各种规章制度，还引进各种先进的人力资源管理理论和方法，是一大进步。但如果总是把人当做工具研究，靠规章制度管住人，靠激励晋升吸住人，我总觉得有些欠缺，因为完全靠法治是得不到人心的。你把人家当工具，人家就把你当跳板。让我们开展点"人心工程"吧，把"得人心"作为衡量工作好坏的主要标准。要调查研究每一位职工的情况，了解他们，熟悉他们，成为他们的知心人。不但要知道他们的年龄、学历、兴趣专长、家庭情况……也了解他们有什么希望、需求和问题。不仅要让他们努力发挥才能，还要给他们以相应的民主权利，更要及时把温暖送到人的心上。哪怕有的困难一时解决不了，也谈谈心，找找出路，指指方向。职工如能把人事部门当做贴心的娘家，整个集体既有严格的制度纪律，又像个温暖和谐的大家庭，工作就做好了。这叫做法治加德治，德治不是人治，是非常重要和永远需要的。

2. 提供广阔的成长通道

人的一生都需要学习和进步。跨出校门参加工作，不是学习的结束，而是新阶段学习的开始。我自己就有这样的经验，学校只给了我一点基本知识，更多的知识和能力是通过实践取得的，我至今埋怨组织上对我重使用少培养。新世纪中的变化和发展速度更快。因此，我感到人事工作有两个重点：一是给职工以发挥才能的机会，二是为职工进行终身培训，提供最广泛有效的锻炼成长机会，包括进修深造的机会。这种机会形式多样，因人因地因时制宜。例如：组织讲课，开办专业培训班(外语班、电脑班等)，与院校合作培养带职研究生，参加各类业余院校，自学考试，出国考察培训，下基层锻炼，支持进行专项研究等。有成效的，予以表扬、晋升。对职工有学习深造要求的，应确认是好事，要肯定、支持和引导，并尽量顺其专长和个性发展，启发其自觉学习要求，提高其学习能力和效果，使单位、企业成为一块雨露滋润的沃土，任何落在其中的种子都能发芽并茁壮地成长，人才就辈出了。千万不要成为沙漠或石山。同时，对得过且过、不思进取的人，进行批评直到降职、辞退，使职工的进步、成长有动力，有压力，有渠道，有措施。

3. 发挥最广大职工的积极性

一个单位、企业的职工，总有年龄、文化程度、工作岗位上的区别。人事部门既要抓重点，又要抓全面，最大程度地发挥广大职工的积极性。要防止片面性，过去把出身不好的划入另类，现在以年龄、学历来分类，太简单了点。

就以年龄段而言，要注意老中青同志的和谐与融合。我国现在有严格的退休制度，到 60 岁(女同志更提前到 55 岁)必须离开一线岗位。许多同志认为不合理。确实，现在 60 岁或 55 岁的人大多身体健康、精神饱满、经验丰富，正值大有可为之时，强行离职，进入"老干部"之列，最多回聘一届，就消踪潜迹了，多么可惜。我觉得这件事要从两方面看。从中国的国情来看，还只能实行这种一刀切的做法。尽管有时接替人的能力还不如退下的，甚至工作都受些影响，但从大局来看非这么做不可。否则，无法较快地实现年轻化，无法让一大批年轻人早日进入角色，挑起大梁，应对今后的战斗。这一点"老同志"要看得到，想得通。已经做了几十年贡献，现在再为年轻化做一次贡献。另一方面，人事部门要重视"老同志"的能力，把他们当资源、财富，不要当包袱、垃圾。不要人一走茶就凉，而要人一走茶更香。所谓茶更香，不是仅指逢年过节送些补品、鲜花，或开会时请来听听(这些也很重要)，而是让他们能继续有所作为。有的仍可继续做些实际工作，有的可任顾问咨询，有的可委托进行专题调研，有的可牵头进行攻关，有的可带研究生、学徒，有的可著书立说，有的可去基层或外单位发挥所长，有的多才多艺可为建立企业文化展宏图……当然年迈体弱的要安度晚年。这样做，并不要多花多少钱，许多老同志渴望继续发挥作用也不完全为了钱，但做得好，确实能收到很好的效果。

对中、青年人，当然更是工作重点。中年人是肩负重任、承前启后的骨干，要做好为他们服务的工作，年轻一代是未来和希望，要物色、培养、压担子、提要求、加大鞭策力度。把各年龄段同志的积极性都调动发挥出来，怎么会怕人才不够呢。

4. 全方位吸引和培养人才

提到人才，人们总先想到领导层、经营管理专家、CEO、MBA、研发骨干、技术专家等，总之属于上层人士。但是，一架飞机，既需有发动机、机翼，控制和传动系统，也要有机舱、轮子，缺一不可，一个元件或部件的失效，都会影响正常安全飞行。一个企业，除需要上层人士外，也需要大量搞一般性工作和服务的人员，同样是不可或缺的。后者的人数常远远超过上层人士，例如，一个电力企业中的普通干部和工人、技师的人数就会多于总经理和工程师，不能忽视这些广大的职工群众。

每个人的岗位不同，职责有异，但不可把人分成高低，"另眼看待"，必须一视同仁地为全体员工服务。而且随着科技和社会的进步，白领和蓝领的差别也在迅速缩小，走向消失。你能说清飞船的驾驶员是白领还是蓝领？今后，高级技师与高级工程师的重要性是一样的，前者甚至更难培养和成长。现在社会上有一种倾向，似乎年轻人只有考上名牌大学，读硕士、博士，才能成材。中学生毕业后千军万马过独木桥，去考几座名牌大学。专科、职校、技校受到冷落和贬低，进了这类学校就低人一头。要纠正这种错误观点。对这个现象，我写过一篇文章《社会呼唤能工巧匠》进行呼吁。对电力行业，尤其如此。过去的机构组成中，管"干部"的叫人事处，管"工人"的叫劳动处，工人、干部身份一旦确定永难改变，好似城市户口和农业户口一样壁垒森严，这种做法我都难以理解。我只想提醒一句：人事部门要全方位地吸引和培养各类人才，才能满足发展需要，也希望年轻人不一定都得去挤独木桥，"我愿天公重抖擞，不拘一格降人才"！

5. 为人才涌现做好基础性工作

中国的乒乓球为什么冠天下？因为有几亿人在打球。韩国的围棋为什么横行全球，因为他们几乎全国重此。有了深厚扎实的基础，自不难长成大树、结出硕果。看来，没有质量固然也没有数量，没有一定的数量也出不了质量，要出人才还得要从基础、基层抓起，特别要重视学校教育。

学校是培养和输送绝大部分人才的源头。过去电力行业直接办多座院校和研究所，现在基本上都划给教育部或地方，研究所也作为辅业而分离。不论体制怎么变，为了出人才，我建议行业、企业对学校院所的关心支持不应改变，而要和他们紧密结合。学校院所要根据行业、企业的需要培养输送人才、解决关键课题，行业、企业要通过各种渠道——共同研究确定教育科研方向、支持硬件软件建设、委托进行科研任务、共同培养研究生等，全力支持和资助，真正实行"产学研"结合，为扩大人才资源做基础性工作，这对尽可能迅速培养大量优秀人才是极为重要的。

要为质量争天下

——与《中国质量万里行》记者唐哲的对话

三峡工程是奇迹

记者：三峡工程是世界上最大的水利工程，您是如何评价其建设质量的？

答：三峡工程虽已蓄水、通航、发电，但尚未竣工，只完成了一、二期工程，还未到最终评定的时候。但对于关键性的二期工程，国务院组织了严格的国家验收，对枢纽建筑的结论是：工程质量总体良好，满足设计和相应的规范、标准要求，没有隐患，可以安全运行。这是权威性的结论。一座如此巨大的工程，建设中遇到如此复杂的问题和困难，能如期建成，质量良好，一次投产成功，应该说是个奇迹。

记者：三峡工程质量与那些世界知名的大水利工程相比如何？能排第几位？

答：如果把三峡工程放到全世界大型水利工程中去排队，它的质量也是名列前茅的。这不仅是我的认识，也是许多到工地参

注：本文系作者与《中国质量万里行》记者的对话录，刊登于该刊 2004 年 2 月，发表时有删节。

观考察的国外人士的看法。这样说，不是说建设中没有出过这样那样的问题，三峡工程质量也没有达到国际最好水平，也就是中央要求的第一流水平。好比一件衣服上有过一条缝，虽然织补好了，已完全和新的一样，毕竟还是个瑕疵。

记者：三峡二期工程中发生了哪些重大质量事故？为什么？如何处理的？

答：二期工程中最重大的质量事故就是三件：泄洪坝段底部混凝土局部不密实、底孔表面不平整、大坝上游面有浅层裂缝。对所有事故和缺陷都作了严格检查和处理。例如，对不密实的混凝土进行灌浆补强、多次复查，保证了密实性。对底孔表面进行全面整修，达到了平整度要求。对上游面的裂缝更做了多层处理和保护，确保蓄水后安全。就我所知，国内外大坝工程中对这样的事故进行如此严格的处理是少见的。蓄水后的监测也证明处理有效，运行安全。

关于发生质量事故的原因，客观上讲，开工初期，各种条件较差（大的事故多发生在初期），但更主要是主观上的：质量保证体系未抓紧建立，监理工作未到位，管理不严格，总之，未把质量意识放在首位，而且有"自我感觉良好"的情绪。后经不断整改，工程质量不断提高，一年一个样。

记者：这些质量事故是如何发现的？有人称三峡工程是豆腐渣工程，你如何评价这种说法？

答：质量事故、缺陷是工地自己检查发现的。工地有严密的、多层次的质量保证体系，事故缺陷是难以漏网的。发现后，各方面及时研究和采取措施，并将详细情况报告国务院三峡建设委员会和质量检查专家组。专家组主要协助他们提高认识、改进管理、分析原因、研讨处理方案和做出最终鉴定，特别着重于提高认识方面。我始终认为，要确保工程质量，关键在业主和参建各方自身，外力只能起辅助的促进作用。

对三峡工程的质量有许多误传或夸大，甚至称为"豆腐渣工程"，这些是不实之词。多数由于对三峡工程不了解所致，有的则以讹传讹、捕风捉影，甚至恶意诋毁，希望大家能相信正道消息。

记者：对于三峡三期工程质量，你有何希望？

答：我期望三峡三期工程能总结二期工程的经验教训，好上加好，精益求精，做到第一流水平，不辜负党和全国人民的期望，树立一块高质量工程的样板。

难忘的质量人生

记者：在您的人生回眸中，有哪些事与工程质量有关而且让您至今难忘？

答：有些事确实让人终生难忘。五十多年前我毕业参加建设，一个工地上发生"卧轨"事件。那时工地上可没有什么监理单位，依靠工程局里地位低下的质量科和几名设计代表检查质量。这一天，拌和楼拌出了不合格的混凝土，理应废弃，领导却强令上坝。眼见劝阻无效，一位技术员愤然卧轨挡道（混凝土用小火车拖往工地）。要知道当时这样做是可以"上纲上线"到破坏生产、反党反革命的啊。我终生对这位叫不出姓名的同志怀着敬意，觉得他是条铁骨铮铮的汉子，不管他后来是不是被打成右派或反革命。

记者：你的一生都在为提高质量而努力，听说你为了保证工程质量，还贴过大字报？你还做过哪些不为世人所知的事情？

答：是的，后来我去了新安江工地，担任"设总"和"设代组"组长，有点权，责任也更大。新安江是我国第一座自建的大型水电站，开工不久就逢上大跃进高潮。开头我也很兴奋和投入，修改设计、节省工程量、加快进度，被树为积极分子。但不久，脱离实际、不讲质量的毛病大量出现，我陷入极大的惶惑之中。是"逢迎"还是"反潮流"，逼着人抉择。最后，尽管那时反右斗争已开始，我还是一口气贴了一百多张大字报，猛攻党委的不重视质量。这确有些"豁出去"的悲壮气氛，我顾不得许多了，还向上海、北京写信告状。接着，工地上出了几件大事故，北京组织几次检查，直到惊动周总理亲临工地拨正航向。也许由于这些因素，我逃脱了当时被打成大右派的厄运，拖了一年多，才在"反右倾运动"中被批判，定为右倾机会主义分子，驱出工地。许多"反党言论"在"文革"中又重新算账。

后来，"左"的做法越来越厉害，工程质量也江河日下，使我寝食难安，但无能为力。直到 90 年代我担任政协委员后，才有机会以各种形式进行呼吁，而且打算写篇文章总结一下。这个愿望直到 1996 年在三门峡养病时才实现，写了一篇《为扭转我国质量下降的现象而斗争》的文章。文中我把质量问题提到国耻的高度，点明质量问题是政治问题，党和政府要承担责任。好心朋友怕我惹祸，白纸黑字的反党。我认为这一要害非点破不可。我不相信批评党的失误就是反党，那些不负责任、弄虚作假、吹拍逢迎、败坏党的声誉的做法才是地地道道的反党。当然这样的文章很难在大报大刊上发表，不能在政协大会上发言，影响非常有限，反正我已经尽了力了。可以记起的事不少，这些算是印象深一点的吧。

中国的新国耻

记者：您对我国质量领域问题有什么看法？

答：质量问题的范围很广，人们经常遇到的有商品质量、工程质量等，还有服务质量、教学质量、管理质量、环境质量……乃至生活质量。可以说，几乎人们的所有活动都有个质量问题。提高质量是全民、全社会乃至全球的共同要求。

讲到我国的质量状况，我不敢恭维，且深为担忧。最有说服力的就是老百姓不相信中国的产品和企业。人们买东西都生怕买回劣质货，都希望买"原装进口"。一座宾馆如果是外国人开的、管理的，住进去便觉得上档次。你可以骂他们崇洋媚外，但为什么有这么多人崇洋媚外呢？也许有的人骂归骂，进商场买大件时还是要"原装进口"的。

记者：你曾经因为中国货变成劣质、低价货的同义词，而指出这是中国的新国耻，有这回事吗？

答：有。在我小的时候，德国货是优质品的代名词，东洋货是廉价低质货的代名词。我现在77岁了，德国货声誉不减，日本货在质量上打了个大翻身仗，而中国货变成劣质低价货的同义词。7年前我曾大声疾呼，指出这是中国的新国耻，是对中华民族的最大侮辱，呼吁全民奋起，誓雪国耻。到了今天，有点起色，但要使中国货成为优质产品的同义词，征途尚远。而且除了质量低劣以外，还出现了假、冒、伪的问题！质量问题不解决，谈不上经济发展、全面建设小康社会和振兴中华的大业！其实，中国也有许多优良的产品、优秀的工程、有信誉的企业和为质量而奋斗的战士，我们要向他们致以最崇高的敬意。但是在大量伪劣商品、工程和道德败坏的企业及个人的包围下，他们被淹没、被扼杀，被"淘汰"，使中国货始终摆脱不了"劣等货"的阴影，中国人摆脱不了"马虎人"的阴影，这事实难道还不值得我们深思吗？

"无法无天"种恶果

记者：您认为当前产生质量问题的原因是什么？

答：有些同志把我国的质量问题归咎于客观条件：科技水平偏低、材料不过关、缺乏精密加工设备等。这种提法是不完整的，甚至不是主要原因。一双皮鞋穿了两天就脱线断底，一幢新房落成后就开裂漏雨，还有什么豆腐渣工程，难道这些要归咎于科技落后、材料不过关或是设备不精密？即使一些高科技产品质量上不去有客观条件问题，深究下去，科技为什么落后、材料为什么不过关、设备为什么不精密，还不是由于科研质量、加工质量不高造成的！总之，我看客观条件不具备是表面上的因素，为什么在同样条件下不同企业、个人做出来的产品质量可以有云泥之别？为什么同样的人员由外国人来管理就面貌全变？这说明绝大多数的质量问题是由于管理落后、不负责任、松懈，乃至"无法无天"所造成的。

记者：您认为质量与诚信有没有必然的联系？

答：把质量问题全归咎于法制不全、管理不严也不够深入。许多老字号名牌产品享誉海内外，长盛不衰。那时的政府也没有对其质量立法管理。但这些企业及其人员，都能把质量和诚信联系起来，把保证质量作为企业和个人立于不败之地的基本条件看待，而不是从怕违法受罚出发，这境界就高了一层。我们目前的企业、个人都以追求最大经济效益为中心，而忘记质量和诚信是获胜的基础，没有把保证质量、建立信誉视为决定企业和个人成败的生命线，更认识不到这将影响国家、民族的信誉和前途。总之，目前我们普遍缺乏质量意识，是个事实。至于那些做一锤子买卖和骗人宰客的企业与个人，当然更谈不上什么质量和诚信了。

再进一步思考，在新中国成立初期，条件很差，建制也不完善，也没有现代化企业，然而有一些工程质量非常优秀。这是因为人们有主人翁思想，干活不是全为了钱，也不是为树立品牌，是为国家建设、为人民造福，要对得起党，经得起历史考验，保证质量成为出自内心的自觉要求。再打个比方，我们看到一些外国友人来华旅游，对废弃物甚至他人扔在地上的废物非捡起来放进废物箱不可，找不到废物箱宁可装进背包带回去，也不污染环境。这样做并不是为了遵守旅游区的规章制度，也不是为了显示自己的品德，而是认为保护环境是天然义务，已深入脑子，形成习惯了。如果我们对质量意识也能这样融入灵魂，形成习惯和作风，那么质量问题就解决了，否则问题就会高一阵低一阵地出现，难以彻底解决。

最后就要问到是什么原因使我国出现"无法无天"和"没有质量意识"的恶果呢？这一追问，质量问题必然成为政治问题，执政的共产党必然要承担最终和最大的责任。试问：如果没有三十年"左"的失误，一味抓阶级斗争为纲，推行"先破后立"、"造反有理"哲学，批判知识分子，一直到全国都说假话，搞假大空，实事求是和敬业优质的传统会扫地以尽吗？如果不是改革开放20年内片面强调经济效益，不抓精神文明建设(一个时期内只要能"创收"，什么手段都能用，什么为非作歹的人都成为英雄)，假冒伪劣、贪污腐败会泛滥成灾吗？这一左一右，从一个极端走向另一个极端的做法，使是非不分，黑白颠倒，把人们思想完全搞乱，反正是老实的、坚持质量的被惩办、被退职，奸诈的、不讲质量的捞到好处，被肯定，得到提升。在这种情势下，还能有好的质量吗？

记者：针对我国的质量问题，您认为应该采取什么措施？

答：上面我分析产生质量问题的几个层次的原因，要改变质量低劣的局面就应针对这些原因采取措施。除了全力提高科技水平、改进客观条件外，首先必须依法抓质量。国家、行业、企业要制定明确的法律、规范、标准、制度，并严格执行，严格监督，完善市场机制。要使不重视质量的企业和个人有切肤之痛，遭灭顶之祸，必遭淘汰，决无侥幸可能，非用重典不能治乱世。

另一方面，要坚持不懈、深入细致地推行全民质量教育。从把质量与企业及个人的荣誉、诚信、成败相连着手，上升到与国家前途、民族命运以及每个人的天职结成一体，使质量意识成为人们的第一意识和自觉要求，形成习惯和作风，乃至成为中华民族的民族性，使不讲质量的做法遭到唾弃，为社会所不容。

如果说，提高科技水平和严格规章制度是"硬建设"，那么提高全民质量意识就是"软建设"。这两者要同时抓，一手硬一手软是不行的，也就是法治与德治要兼行，缺一不可。

记者：您认为抓质量的关键在哪里？

答：关键在党和政府重视。执政党要认真总结经验，勇于承认失误，坚决表明态度和采取措施，所谓与民更始，昭大信于天下。再不能只满足于搞些形式，发点号召，没有铁腕行动，仍然陶醉于逢迎歌颂，听不进逆耳之言，"自我感觉良好"，那定然是一事无成。党挺身而出承担责任，无损共产党的形象之万一，相反，人民只会感到共产党真正是伟大、正确、光明磊落的党，是体现"三个代表"重要思想的党。这是我的肺腑之言。

文史和工程

记者：您对文史很有兴趣，能否说说这对您对工程质量的认识有无影响?

答：这是两个完全不同的领域，但也有相通之处。写文艺作品，研究历史问题，同样有个质量问题。凡是能流传后世、撼动人心的文学作品和有巨大深远价值的历史研究，无不是作者长年累月甚至毕生心血的结晶，改了又改、精益求精。古人吟诗写文有"两句三年得，一吟双泪流"、"字字写来都是血，十年辛苦不寻常"之叹。有些学者还抱"述而不作"的慎重态度。这对搞工程的人何尝不是启发，和现在的浮躁作风更不可同日而语。我也写过或发表过少量作品，最大的遗憾就是质量不高。

与商品和工程质量问题相同，现在文史领域中也有大量假冒伪劣之作，甚至东抄西凑、草率成书、黑白颠倒、文理不通、欺世盗名、谋利害人。此风不除，是难以出现像《红楼梦》、《资治通鉴》、李杜之诗和苏辛之词之类的传世成果的。

响应中央号召　加强两科联盟工作

——在 2004 年两科联盟工作会议上的讲话

　　过去了的 2003 年是不平凡的一年。最使人难忘的，就是年初突如其来的非典疫情，几乎传播了大半个中国。人民的健康、经济的发展、国家的信誉受到空前的威胁与考验。面对这前所未知的疫情，党和政府做出英明、迅速、果断的决策，采取正确、严格、有效的措施：严密隔离疫区、切断传播路线、调动全社会力量、紧急抢救病人、千方百计防止医护人员感染，并把一切过程透明化，使社会民心稳定下来，一时声势汹涌的疫情被迅速扑灭。这是人类征服疫病的一曲凯歌、一个奇迹。创造奇迹的是党，依靠的武器是科学。请想象一下，如果在这场疫情前，没有党的领导，不采取科学的方法，将会是个什么局面？试问：法轮功的痴迷者们染上非典，能依靠那位"能推迟地球大劫 30 年"的教主来治好？还不是只能隔离就医。法轮功不仅治不了任何病，它本身就是精神上的瘟疫，要像对付非典和禽流感一样，截断一切传播之道，坚决予以扑灭。

　　事实告诉我们，战胜非典要依靠科学武器。这里的科学包括

　　注：本文系作者在中国科协自然科学与社会科学联盟专门委员会 2004 年度工作会议上的讲话摘要，2004 年 2 月 6 日。

自然科学和社会科学。研究病毒、研制疫苗、监测、化验、消毒、治疗……这些属于自然和技术科学；立法、组织、宣传、教育、动员、隔离……属于社会科学范围，两者缺一不可。现在提到"科学"，往往首先想到的是自然科学，市场上的科普书，十有八九也是自然科学，这是不全面的。忽视社会科学以及两科间的渗透交流是危险的。最近，中央发了[2004]3号文件，下达了关于进一步繁荣发展哲学社会科学的意见，指出：在全面建设小康社会、开创中国特色社会主义事业新局面、实现中华民族伟大复兴的历史进程中，哲学社会科学具有不可替代的作用。必须进一步提高对哲学社会科学重要性的认识，大力繁荣发展哲学社会科学。我们两科联盟要积极响应中央号召，尽最大努力做好我们的工作。下面我说三点意见。

一、自然科学和社会科学间没有鸿沟

我们习惯于把科学分为自然科学与社会科学两大类，两者隶属于同一体系，只是研究探索的重点对象有别。前者如天文、地理、生物、数学、物理、化学等；工、农、医这些技术科学则是应用自然科学解决具体问题的学科。后者如文学、历史、社会、教育、心理、政治、经济、法律等。但两者间没有不可逾越的鸿沟，而是相互包含、交叉、渗透、融合和促进的。社会愈发展，两者愈不可分。哲学，习惯和社会科学并提，其实是两者的概括和总结。自然科学中的数学，研究到最后就成为哲理问题。有些学科不能简单划分，如管理科学，你说它是自然科学还是社会科学？自然科学的突破，会引起社会科学的创新，而社会科学的进步也会促进自然科学的发展。一个国家自然科学落后，固然难以发展，没有正确的社会科学研究，要迷失方向，更是没有前途的，对于中国来说，这一点尤其重要。

社会科学和自然科学一样，其一切努力都是为了探索规律、寻求真理。宇宙间万事万物的变化都存在固有规律，探索奥秘，找出规律，发现真理，千百年来多少科学家为此目标奋斗一生，这是一切科学活动的真谛，这也是自然科学家和社会科学家能携手并肩战斗的基础。而所有科学探索努力的最终目的，主要还是为了发展生产和发展社会，这是两类科学家能携手并肩战斗的又一基础。要达到探索真理、服务社会的目的，作为科学家最重要的一条是要求真务实，捍卫真理，在任何情况下不说假话。做到富贵不能淫、威武不能屈。千百年来多少志士仁人为此英勇献身，这就是科学精神。布鲁诺是如此的，马寅初、孙冶方也是如此的。还应指出，时到今天，已不是黑暗的中世纪，社会科学家要求真务实、坚持真理尤为困难和可贵。当然，真理是相对的，要经过不断探索发展，逐步走向绝对真理。

二、中国的社会科学研究任重道远

我国科技水平较低，科学家任务很重。但自然科学主要是抓紧努力尽快赶上的问题，社会科学任务则更为艰巨。这样说，一是由于在十年浩劫中，社会科学界受到的破坏是毁灭性的，一切都要从头做起；更重要的是，中国是世界上仅存的社会主义大国，人类实现社会主义要从中国开始。中国的哲学社会科学是以马克思主义为指导的，不能用西方那一套。但是，也不能搬用50年前那种做法。那时，把从马克思到毛泽东所写的每个字、所说的每句话都当成真理，一个字不能动，否则就是修正主义，搞教条式的理解和封建迷信式的崇拜。现在，要以实践检验真理，要立足于当前形势重新认识和创新，连什么是"公有制"都要重新理解。也就是说，中国在社会科学领域中，要以马克思主义、毛泽东思想、邓小平理论和"三个代表"重要思想为基础，结合形势和实践，进行全面探索和创新，其间必然要遇到重大难题和分歧，有待解决和取得一致。这任务是否比自然科学还艰巨些呢？中国科学院和中国工程院都实行院士制，社会科学院除有少数几位健在的老学部委员外，没有实行，我想这与一些基本理论与问题有待探索和明确也有关系吧。我认为，随着我国社会科学研究的进展，在社会科学院也实行院士制是理所当然的。总之，发展社会科学与发展自然科学一样重要。我国的自然和技术科学家在钻研本身业务的同时，要认真关心和学习社会科学的发展和研究情况，关心政治、社会、经济问题，正如社会科学家需要关心和了解自然科学的最新发展一样。

三、社会科学界和自然科学界紧密团结、共同奋斗

当前我国形势一片大好，但我们面临的挑战也是独一无二的，同时，面临的机会也是独一无二的。首先是我们在高速发展、全面建设小康社会、实施振兴民族大业时，遇到大量困难和敌对势力的破坏，我们必须发展先进的生产力，必须建设先进文化，必须实施可持续发展战略，必须提高人民素质，必须和法轮功一类的"病毒"作斗争，才能取得胜利，达到目标。这就要求在基础研究上、技术开发上和社会科学的理论探索与实践上有重大创新，这就需要两类科学家携手并肩战斗来完成。我是从事工程建设的，就说工程建设，现在我深深体会到这不是单纯的技术问题，而是技术、经济、社会、环境的统一问题，是个复杂的大系统，光靠技术研究是不行的，甚至会事与愿违。进一步思考，现在我们采取的发展模式，多是"常规模式"，似乎要发展就一

定走这条路，要不要研究一下这种模式是不是惟一的、最优的、能持续发展的？有没有新的路可走？不要走两个极端：或者强调发展，坚持走老路，不顾一切后果搞"开发"；或者不顾国情，按照发达国家某些学派的口径，为保护而保护。这些重大原则需要两类科学家深入学习十六届三中全会决议的精神，认真研究如何做到以人为本、全面协调人与自然关系、树立正确的科学发展观才能取得一致，而且不能关起门搞学院式研究，门外正在热火朝天地进行建设，亟待先进的自然科学技术和正确的社会科学研究成果进行指导和促进，与伪科学、反科学的斗争正方兴未艾，要有紧迫感啊！实践出真知，中国的科学界必会出现百花齐放、百家争鸣，硕果累累，形成自己的体系的局面。希望我们的自然科学家和社会科学家们，特别是年轻一代，能认识到肩上的重担，能实事求是，勇于探索，坚持真理，紧密团结，并肩战斗，学习西方先进的自然科学，利用西方社会科学中正确的和有用的部分，结合中国国情和当前发展，综合提高，寻求规律，指导实践，为伟大的民族解放事业做出自己的贡献。

认识自然　热爱自然

《人与自然》创刊出版了，我表示热烈的祝贺。

究竟什么是人和自然间的正确关系？是我们过去经常说的"认识自然、改造自然、征服自然吗"？这是个值得我们深思的问题。

自然孕育了人类。当人类刚出现时，和其他动物一样是依靠天然的资源和自己的体力维持生活、蔓延种族的。他们过着艰苦、朴素然而是和谐的生活。但在以后的发展中，人类以其两大特点——能思考、会合群，迅速地脱颖而出，最终成为万物之灵和自然的主宰。特别是近二百年来，西方文明和科学技术的大发展，地球上出现了极其灿烂的人类文化。这种文化在浩渺的宇宙中即使不是惟一的，也是十分稀罕的。表面看来，人似乎真的认识了自然、征服了自然。

然而，我们看到许多不应出现、令人震惊的后果：这几百年中，一些西方国家凭藉他们手中的科技、经济和军事力量，贪婪地开发和糟蹋着自然资源，无情地奴役着落后的国家和人民，疯狂地破坏、污染环境。在人类文明发展的同时，曾经覆盖地球的森林植被消失了，代之以沙漠、秃山和混凝土森林。整个地球被

注：本文系作者为《人与自然》写的文章，刊登于 2001 年 8 月该刊创刊号。

污染了，空中飘着黄烟，地上流着黑水，要找一块净土是愈来愈难了。人口已猛增到 60 亿以上，而曾经和人共处在地球上的物种却在迅速减少，很多物种只能在动植物园中可以看到，更多的只留下标本甚至连标本也没有留下，无声无息永久消失了。破坏生态、消灭其他物种的人，最后也终将消灭自己。能够说，西方的高科技已经正确地认识了自然吗？

对于我们这个东方文明古国，情况也好不到哪里：在经过艰苦卓绝的斗争，取得国家独立、民族解放的胜利后，片面地强调了斗争哲学。除了与人斗争外，就是与自然斗争了。认定人多力量大，发誓叫"高山低头、河水让路"，似乎只要坚决斗争，万物皆能为我所用，事物都会按我意志发展，自然是完全可以征服的，成为驯服的工具。于是干了多少错事、傻事，其后果也就不言而喻了。

所以，人类似乎应该重新思考，需要正确地、全面地重新认识自然。"改造自然"似应改为"适应自然"，"征服自然"似应以"与自然和谐共处"代替，"开发资源为我所用"，似还应受到"适度消费让大自然休养生息"的约束。近几十年来，国内外有很多团体和志士仁人为此呼吁。也许个别的提法、做法有可议之处，但大的方向和要求该是正确的吧？

可是要做到这点谈何容易。现在地球上不仅不是大同社会，而是有一心要绝对称霸的势力，南北差距如此之大，多少落后的国家、地区人民亟待发展，各种政治、经济、军事和科技上的矛盾交错，进行着复杂剧烈的斗争，要最终解决问题征途正长。

我国现在期刊很多，出现了百花齐放、百家争鸣的现象。但专门研讨人和自然的刊物却不多。本刊的问世将给我们一个自由发表意见、热烈讨论问题的好园地。可讨论的问题也并非只有上述的方面，而可涉及非常广泛的领域，从自然科学到社会科学，到各种交叉学科。所以我热烈地祝贺她的问世，衷心地期望她茁壮成长，愈办愈好，成为百花园中一朵有特色的艳丽小花。

纪念蔡为武同志

为武同志永远离开了我们，他的音容笑貌却长留在我的脑中。

为武和我是浙江大学土木工程系同学，比我高一班，是我的学兄。在校时，他给我的印象是"又红又专"。一方面，他积极参加学生运动，抗议国民党政府的反动暴行，另一方面又是各科成绩都十分优秀的高才生。还未毕业，就写出了极有见地的关于钱塘江水文资料问题的学术论文。他这种追求真理追求进步的形象，在新中国成立后50年来的人生旅程中得到进一步的印证。

新中国成立后，我和他都在水利水电建设行业中工作，因此有更多机会进一步认识他的各种优秀品质。首先是他对党和党的事业的无限忠诚。为武的为人也许书生意气偏浓而疏于人情世故，坦诚耿直，刚正不阿，所以并不为许多人所喜。其实他对任何人并无芥蒂，对党的事业更是以身相许。即使在文化大革命的浩劫时期，他被隔离审查，仍然要求入党，使当时的"造反派"目瞪口呆。这表明他对党的信念在任何情况下毫不动摇，这是何等感人的高贵品质啊。

注：本文收入《蔡为武文集》，吉林科学技术出版社，2000年12月，并刊登于《水文化》2000年第4期。

在业务上，他既有高深的学术造诣，更有极强烈的事业心。可以说，50年来，他把自己生命的每分每秒都用在工作上了。他的工作单位是水利部东北勘测设计院，东北地区的水利水电工程取得许多出色成就，这里凝聚着他的无数心血和汗水。他并不以此为足，而是关心着祖国水利水电建设的方方面面：他关心黄河、关心长江，他关心防洪、关心发电、关心运行和管理，关心经济政策。他研究水工结构，研究施工组织，推动科技进步，博闻强记，被誉为活数据库，爱国、爱事业之心，溢于言表。他真正做到了鞠躬尽瘁，死而后已（他最后是因脑溢血倒在小浪底工地上的）。我们国家是多么需要这样忠心耿耿的优秀工程技术人员啊。他为我们和下一代做出了极好的榜样。

为武同志的第三个特点是实事求是，直言无忌，敢于道人所不能道、所不敢道。例如，许多年来我们一直宣传中国水能资源的优势，用了许多诸如"得天独厚"、"举世无双"之类的形容词，为武同志却提出中国水能资源的劣势问题。乍一听，这话确实使人不快。其实，深入思考，中国水能资源的开发，确实具有很多难点和问题，不作深入分析、认识问题所在、找出解决措施，只宣传优势和抱怨开发力度不够，是解决不了问题的。在这方面，为武同志就比我们看得全面，也敢于发表真知灼见。

他的第四个特点是思想解放、敢于突破、敢于创新、藐视困难，有一种大无畏的精神。在下放宽甸县时，独立地为当地设计、施工了一座超薄拱坝（门坎哨拱坝，厚高比仅 0.07），已安全运行 28 年。坝顶泄洪水深在 5m 以上，堪称世界一流。他提出的一些建议或设想，有时是超越常规的。20 世纪 70 年代中，我们在规划二滩资源的开发时，有高、中、低三个方案，反复论证研究，选择了高方案（即现在实施的方案，设计坝高 245m）。当时不少同志都担心我国技术力量能否担此重任，为武同志却强烈建议再提高 20m，使工程效益进一步加大。在研究金沙江梯级开发时，他提出建一座 500m 量级的超高坝和大库，对金沙江水力资源作更充分的调控利用。我担心这样的高坝超过国际水平过多，他却认为没有克服不了的困难。虽然他的某些建议由于多种条件限制未能采纳，有的意见也许不完全符合当时的客观实际，但他那藐视困难的无畏精神是十分可贵的。许多同志在年轻时英姿飒爽，敢说敢为，上岁数后往往锐气消磨，偏于求稳求安。为武同志却不如此，似乎年岁愈高，想法愈开放。这实在值得我们学习。

他的第五个特点是奖掖后进，从善如流，他对年轻同志在业务上热心指导，全力支持他们进步。在他的帮助下，许多年轻同志脱颖而出，在科研、设计上取得成就。有些成果被水利学会评为全国优秀论文。难能可贵的是，他敢于公开承认自己的失误。例如，在对陈玉夫同志一篇拱坝地基变形算法论文的评价中，他曾认为有理论错误，不同意评奖，但经反复辩论问题得到澄清后，他立即公开表示改正原来观点，而且亲手签发一等奖。这说明他从不顾虑个人的面子和威信问题，而以科学和事实作为判别正误的惟一标准，在我国的科技界中，是多么需要这样的精神啊，而为武通过自己的言行，在群众心目中的威信更加提高。

遗憾的是为武同志没有能活到新世纪，不能看到他的许多伟大设想得到实施，现在松辽水利委员会和东北水利科学研究院决定将他的文章整理成一本文集出版。我看了他的近百篇论文，其中近三分之一尚未发表过，感触良深，我想这本文集出版后，他已发表过的文章固然值得我们重温，所未发表过的文稿也值得我们阅读和深思，也许能给我们以新的启发。

为武同志的哲嗣朝明同志在文集出版前要我写篇纪念文章，这是我义不容辞的事，因凭记忆写了这篇短文。

　　为武同志，安息吧。你为之奋斗终生的中国水利水电事业一定会在新世纪中取得更加伟大辉煌的成就。

一颗丹心献水电

——怀念李鹗鼎同志

鹗鼎同志是中国水电界的元老之一，长我近十岁。他不仅是我的领导，更是一位师长。

早在 20 世纪 50 年代，我就深慕其名，却无缘识荆。60 年代初，我奉命到北京水电部干部学校，参与编制《水工混凝土和钢筋混凝土设计规范》及《混凝土重力坝设计规范》，此时开始得到他的亲切教诲。他丰富的经验、精湛的技术，尤其是谦虚待人的态度，深深地印入我的心中。我觉得在老一辈专家中，他是最和蔼可亲、乐于助人的一位。以后又有过几次机会，随他出差，考察研究一些大型水电站的设计、施工问题，进一步感受到他高瞻远瞩的襟怀和从大处观察问题的才能，所受的教益就更多了。

十年浩劫期间，他和一切正直的知识分子一样，被作为"反动学术权威"受尽批判和折磨，可是他能泰然处之，丝毫没有影响他对党、对社会主义、对水电事业的信心与热爱。大约在 1972 年年底，当时水电部的张彬同志设法将下放在贵州的他"借"了出来，研究解决当时全国水电建设中的许多严重问题，我也有机会随同他研究了乌江渡的复工问题，云南和金沙江的开发规划问

注：本文收入《李鹗鼎纪念文集》，电力出版社，2004 年 12 月。

题，考察了四川水电建设。只要一接触到水电，我们就都忘记了不久前还身处"牛棚"，忘记了一切荣辱恩怨，而做起重绘西南水电开发蓝图的伟大幻梦。以后，他调任水电部基建司总工(后来水利电力部分家又合并，他晋升为电力工业部副部长、水利电力部总工)，我也被借调到对外司工作，不久又转到规划院任职，有了更多的共事机会：一同研究解决安康水电站的坝址和枢纽布置问题、凤滩水电站的后期施工问题、陈村水电站的补强问题、兴建东江拱坝问题、葛洲坝枢纽的技术问题、龙羊峡的地基处理问题和抗洪斗争，共同创建了水电站大坝安全监察中心，开展了规程、规范的全面修订，决策二滩水电站的开发方案……乃至参与三峡枢纽的研究。每当我遭受压力、遇到困难时，总是向他陈述汇报，他总是坚定地鼓励和支持我的正确意见，这是他给我教益最大、最多的十年战斗经历。

1985年后，他因年龄及健康关系从水电部总工程师的岗位上退了下来，钱正英部长任命我接替。这对于长期只担任一些具体技术工作的我来说，实在是不可胜任的重担。鹗鼎同志全心全力地支持我，不顾年迈体弱，处处为我排忧解难，承担责任。尤其是在决策雅砻江开发方案和进行三峡枢纽论证上贡献更多。他和我一样，对雅砻江有特殊深厚的感情，由于锦屏枢纽暂时不能上马，就集中精力研究二滩水电站的建设。当时有关方面对我国能否修建二滩水电站高拱坝意见分歧，有的权威专家甚至直接上书中央，坚决反对一次开发方案。鹗鼎同志完全信任我们所做的工作和能力，毫无保留地支持高坝方案，而且一次次地深入现场调查了解。而此时他的糖尿病和心脏病已经很严重，急需停止工作休养。他将个人健康完全置之度外，也不把病情告诉我们。使我刻骨铭心难以忘怀的一件事就是1986年春我与他又一次去二滩，召开决策二滩水电站工程重大原则的审查会时，他终于突发脑血栓而倒下。当我闻讯从外赶回时，他虽经急救而清醒，但仍极端虚弱。我安慰他说："李部长，你的病很快会好的，安心休养，二滩的事我会处理好的。"他摇摇手，严肃地、艰难地、一字一顿地说："我的病不可能好了。二滩的担子你要挑起来，这是个好点子，不管有多少困难，一定要开发，一定要有信心。"他握紧我的手，还喘着气说："还有金沙江上白鹤滩，900万kW，多好的点子……"他似乎在嘱咐我，又似乎在留遗言。在这生死关头，他没有想到自己、家庭和任何私事，念念不忘的还是中国的水电开发事业。我在禁不住流泪的同时也进一步认识到他的高尚人格———一个把毕生精力奉献给水电开发的人。

钱正英部长发来急电，嘱咐要尽一切力量抢救他，使他又一次转危为安。然而他仍然不休息，不离开第一线。在身体稍恢复后，又继续承担三峡枢纽论证施工专题任务和水力发电工程学会理事长的重担，到各大水电工地去视察、指导。二滩水电站工程开工后更担任世界银行特别咨询团团长，一次又一次地去工地跌打滚爬，三峡枢纽工程开工后又带病数次下现场。他的贡献迅速得到工程和科技界的肯定，并于1995年当选为中国工程院院士。

但是，他已过多地透支了健康，糖尿病发展到晚期，肾功能衰竭，要依靠透析维持生命。在他住院期间，我曾多次探视过他。2001年春节我代表中国工程院去探视时，他已双目失明，但头脑还清醒，听觉正常。当我把水电大好形势，特别是三峡枢纽工程建设的巨大成就告诉他时，他的脸上展现出欣慰的笑容，双手紧紧握着我的手，艰涩地说了一句话："我快走了，你们好自为之。"我看到他原来魁梧的身躯，竟消瘦成骨骼嶙峋，眼泪再也忍不住，竟夺眶而出。这是我最后一次向他做的春节慰问，次年再去看他，却只能是在他简朴的家中瞻仰遗像了。

我曾想建议整理他的遗著，编一本文集，但调查才知，他的全部心血都凝聚在无数工程的技术档案中，他这一辈子不求名，不谋利，一身正气，两袖清风，甚至也很少以自己署名发表文章，把一颗丹心毫无保留地贡献给了他挚爱的中国水电事业。

鄂鼎同志是位高尚的人、坚强的人，一位正直的中国知识分子，一位真正的共产党人。鄂鼎同志离开我们去了，可以告慰于他的灵前的是：今天中国的水电装机容量已突破 1 亿 kW，并正以史无前例的速度迅猛发展。鄂鼎同志如有知，可以含笑长眠了。

他的贡献将载入水电开发史册，他的形象将永驻后继者心中。

鄂鼎同志，安息吧！